SHY NOVELS

薔薇の奪還

夜光花

イラスト 奈良千春

CONTENTS

薔薇の奪還

I　絶望の果て

ポール・ムーアの遺体が上がったと連絡が入ったのは、アシュレイが車で移動していた時だった。急遽《きゅうきょ》車の進行方向を変えて、聖《せい》エルモ砦《とりで》に向かった。ポールが行方不明になったのは三日前だ。薔薇《ばら》騎《き》士団《しだん》の《判断する者《ジャッジメント》》の一人であるポールが、急に連絡を絶ったとバートンからひそかに打ち明けられた。奥方が心配してバートンに知らせたらしい。その時から嫌な予感はしていたのだ。ポールの失踪を語るバートンの瞳には不安が満ちていた。マルタ島内は能力を使って捜していたのだが、アシュレイにはポールを見つけることができなかった。アシュレイ・マコーレーは《神の眼《ゴッドアイ》》と呼ばれる特異な能力を持っている。遠くのものでも見通すことができる能力だが、その力は今はあまり発揮されていない。

（つくづく己の腑甲斐《ふがい》なさを感じる…）

眉間《みけん》にしわを寄せ、アシュレイは銀縁眼鏡《ぎんぶちめがね》を指先でくいっと押し上げた。

路肩に車を停《と》め、アシュレイは車から降りて野次馬が群がっている辺りへ近づいた。季節は冬に移り変わっていて、十二月のこの時季、例年通りなら地中海性気候のマルタはそれほど寒くない。けれど今年は異常気象といわれ、コートがないと外に出られないくらいだ。砂浜を革靴で歩きながら、アシュレイは人だかりにうんざりした。死体が上がったというので若者たちが、現場を一目見ようとうるさく騒ぎ立てていた。その人混みをかき分け、張られているロープを潜り抜けようとすると、野次馬を追い払っていた警官がアシュレイを止めた。

「ああ、そいつはいいんだ。私が呼んだんだ」

アシュレイを押し戻そうとした警官が、声をかけてきた男に気づき振り返る。

「は、失礼いたしました！　署長」

　まだ若い警官はサム・レスターを見て慌てた顔つきで敬礼した。アシュレイはサムに軽く会釈《えしゃく》をして「連絡ありがとうございました」と告げると、遺体の傍で職務をこなしている警察関係者に近づいた。サムはマルタの警察署長で、今年六十歳になった貫禄のある男だ。少し早口でせっかちなところはあるが、気さくで信頼がおける。アシュレイが所属している薔薇騎士団のサブメンバーでもある。

　制服に身を包んでいる警察関係者たちの横から遺体を覗き込んだアシュレイは、砂浜に打ち上げられたポールの変わり果てた姿に息を呑んだ。長い間水に浸かっていたせいか、ポールの陽気な顔は見る影もなく、この遺体を身内に面通しさせなければいけないのがつらかった。

「写真は撮ったな？　鑑識、遺体に触れても構わないか？」

　サムが鑑識の男に確認をとる。通常サムが現場に出向くことはほとんどないが、今回は遺体が知り合いという理由で、特別に立ち合っている。サムのおかげでアシュレイも自由に動ける。

「どうぞ」

　鑑識の男はごてごてしたカメラを引っ込め、アシュレイたちに場所を譲ってくれた。サムに顎《あご》をしゃくられ、アシュレイは身を屈《かが》めて砂浜に横たわるポールの肩の近くに膝をついた。

　ポールの顎を動かし、首元を丹念に調べる。あった。アシュレイは顔を歪め、ポールの右肩のつけ根辺りにある噛み傷をサムに見せた。サムがアシュレイと向かい合わせの場所にしゃがみ込み、重苦しい顔つきになる。

　ポールは《不死者《アンデッド》》に血を吸われている。このまま放置しておけば、いずれ《不死者》になり、夜を徘徊する異形のものに生まれ変わってしまう。

「調べが終わった後、頭を撃ち抜く必要があります……。できれば今日中に」

アシュレイはサムにだけ聞こえる小声で告げた。サムは帽子《ぼうし》を脱ぎ、短く刈り上げた髪をがりがりと掻いた。サムはポールとは古くからのつき合いで、一緒にサウナ耐久レースや釣りを楽しむ間柄だった。

「なんてこった…。なぁ、教えてくれ」

サムが深い溜息と共にアシュレイに厳しい目を向けてくる。

「一体、今の薔薇騎士団はどうなっちまってるんだ？」

サムの言葉にアシュレイは答える術《すべ》を持たなかった。


この数年を振り返るたびに、アシュレイはなにもかもが変わってしまったのを痛切に感じていた。

二年と七カ月前、唯一の《薔薇騎士《ローズナイト》》である相馬啓《そうまけい》がいた頃、アシュレイは今思えば充足した生活を送っていた。薔薇騎士団――アシュレイが幼き日より憧《あこが》れ、いつかその一員になりたいと願っていた秘密結社。アシュレイの父も同じく《神の眼》の能力者で、小さい頃から《薔薇騎士》のために役立つ人間になりなさいとアシュレイに言い聞かせてきた。その父は今、《薔薇騎士》のためにという言葉を口にしなくなった。ロンドンに住む父は、審問会や報告会に出るためにたびたびマルタに出向いてくるが、会うたびに不審のこもった目線をアシュレイに向けるばかりで、特に言葉は発さない。昔から無口な人だったが、ここ二年ほどで眉間のしわがより深く刻まれるようになった。

薔薇騎士団の次期総帥になってほしいとアシュレイが望んでいた啓は、失踪した。

あの日の出来事を思い出すと未《いま》だに胸が苦しくなる。啓は五代目総帥であるエリック・クロフォードの一人息子であり、唯一の生まれながらにしての《薔薇騎士》だった。日本で育ったせいか日本人気質で、不遇な育ちのわりに明るい少年だった。五代目総帥に似た人を惹きつける甘い容姿に、優れた身体能力、加えて人を統率できる資質を持ち合わせていた。少し人を信用しすぎるところはあるものの、アシュレイにとっては自分の人生を預けてもいいと思えるくらい理想的な《薔薇騎士》だった。父があれほど《薔薇騎士》のために、と言い続けていた理由が分かった。おそらく父は五代目総帥であるエリックに対して、アシュレイと同じ感覚を抱いていたのだろう。この人のためになにかしたい――そう思わせる存在こそが、《薔薇騎士》である、と。

アシュレイが次期総帥にと願った啓は、その道を順調に歩み始めていたかと思われた。だが忘れもしない二年七カ月前のあのシスターヴェロニカの葬儀の日、彼は失踪した。

薔薇騎士団にはもう一人の《薔薇騎士》がいた。ルイス・ベアズリーという四家の一員であるベアズリー家の息子だ。薔薇騎士団には四家と呼ばれる貴族がいて、代々能力者を数多く輩出している。通常《薔薇騎士》は《薔薇騎士》からしか生まれない。ルイスは十六歳の時に突如刻印を授かったと、薔薇騎士団メンバーに触れ回った。アシュレイもだが、アシュレイの周囲のメンバーも皆ルイスの刻印に疑惑を抱いていた。薔薇騎士団には正規メンバーとサブメンバーが存在し、刻印を持って生まれてきた子どもは特異な能力を秘めている。十八歳の誕生日を迎えた際に、儀式を受け正規メンバーになるのがならわしだ。

ルイスがその儀式をこなしたと報告された時、アシュレイは少なからず驚いた。生まれた時に刻印を持っているならともかく、後天的に刻印を得る者は存在しないと疑っていたからだ。それは《守護者《ガーディアン》》であるイタリア人のラウル・リベラーニも同じで、ルイスが《薔薇騎士》になったと聞いた時、顔を顰《しか》めていた。以前からラウルは「誰かさんは刺青《いれずみ》でも入れたんじゃないの」と暗にルイスを揶揄《やゆ》していたくらいなのだ。

ルイス。彼の名を思い浮かべるだけで、胃がきりきりと痛む。

薔薇騎士団の敷地内の駐車場に車を停め、アシュレイは正面玄関へと足を進めた。

ポールの遺体の様子をバートンに電話で知らせると、深い溜息が漏れ聞こえた。バートンからポールの家族へ、そして薔薇騎士団のメンバーへ彼の死が伝えられるだろう。ただでさえ数が減っている正規メンバーがまた一人散ってしまった。心をかきまぜるような焦燥感《しょうそうかん》にアシュレイは唇を噛むしかなかった。

「おっと…」

玄関の扉を開こうとしたアシュレイは、ちょうど中から出てきた女性とかち合い、目を見開いた。モデルのように綺麗な顔立ちにすらりとした姿態を持つ黒髪の女性が、白い毛皮を着て出てくるところだった。エミリー・ヘイワード。薔薇騎士団の屋敷に住む正規メンバーの一人で、《天使の耳《エンジェルイヤー》》だ。

「どうしたんですか、その荷物」

エミリーとは正規メンバーになった頃からずっと一緒に闘ってきた。いわば戦友といっても差《さ》し支《つか》えない相手だ。そのエミリーは大きなスーツケースを引っ張って、珍しく化粧っ気もなく、長い黒髪を適当に縛っていた。エミリーが憤慨しているのは一目で分かった。唇は引き締まり、目尻が上がっている。

「あら、ちょうどよかったわ。アシュレイ、車を出してちょうだい。ヴァレッタまで送ってほしいの。もうここにはうんざり。出ていくわ」

怒りを押し殺したような声で言い放ち、アシュレイが頷くより早く駐車場へと向かう。いずれ言いだすだろうと思っていた。今日まで保《も》っただけ褒《ほ》めるべきなのか。アシュレイは無言で駐車場に戻り、エミリーのために車のトランクを開けた。スーツケースには荷物を詰め込めるだけ詰め込んだのか、持ち上げるとかなり重かった。エミリーは薔薇騎士団の屋敷をこよなく愛していて、自分の部屋は惜しみなく金をかけてカスタマイズしていた。それを捨てていくのだからよほど腹に据《す》えかねる出来事が起きたのだろう。

「――信じられないわ、バルバロッサの奴！　私の部屋に勝手に入って物を漁っていったのよ。あの男、馬鹿じゃないの？　この私に盗聴器を仕掛けていったわ。しかもお気に入りの下着を数枚盗《と》られたのよ、ファック！　あの男が触ったかもしれない下着は全部捨ててやる！　私が《薔薇騎士》だったらあの男に舌を噛んで死ねって命令するわ」

薔薇騎士団の屋敷から出たとたん、エミリーが助手席で憤《いきどお》りをぶつけてきた。エミリーは怒り狂っている。握った拳《こぶし》には力が入り、何度もヒールの高い靴でシートを踏みしめている。

「それは……」

さすがに絶句してアシュレイは言葉を失った。バルバロッサは三年前から薔薇騎士団の執事の座に収まっている男だ。狡猾《こうかつ》な顔をした男で、顔は内面を表すとばかりに本質も醜悪そのものだった。バルバロッサが掃除と偽りメンバーの部屋を物色しているという訴えは、これまでにも何度か審問会で議題になった。アシュレイが問題があるのではないかと議題に出した際、「お前の能力も盗撮と変わりない」とその訴えを退けたのは六代目総帥の座に居座ったルイスだ。頭に血が上るとはこういうことかと、身を以《もっ》て経験した。常々正規メンバーは冷静であるべきと説いていたアシュレイだが、あの時ばかりは思わず手を出しそうになった。

バルバロッサがエミリーに対してよからぬ気持ちを抱いているのは、薄々勘づいていた。エミリーにも気を配っていたのだが、奴はアシュレイが思うよりももっと下品で卑しい男だった。

「今日はどこに泊まるのですか？」

ヴィットリオーザからヴァレッタに続く道を車で走らせながら、アシュレイはエミリーに聞いた。

「しばらく友人の家に泊まるわ。もしかしたらイタリアへ行くかも。マルタにいてもしょうがないでしょ？　ルイスは《不死者》を捜す気すらないようだし」

蔑んだ眼差《まなざ》しでエミリーが呟く。エミリーの中で高まっている苛立ちは、アシュレイも感じているものだ。目の前に毒りんごがあるのに、それを取り除くことができない。それどころかその毒はじわじわと周囲の健全なりんごまで腐らせつつある。

「次のパーティーはいつ？　その日は空けておくわ」

ハンドルを握るアシュレイにエミリーは目を向けた。その瞳には少しだけ冷静さが戻っていた。パーティーはアシュレイたちにのみ通じる隠語で、秘密の会合を意味する。どこで誰が聞き耳を立てているのか分からないので、用心のために使い始めた言葉だ。

「来週はクリスマスでしょう。雄心《ゆうしん》の家で祝いましょう」

薄く微笑んでアシュレイは答えた。憤慨している彼女のために今年のクリスマスプレゼントは奮発してみようか。そんな考えがちらりと頭を過《よ》ぎった。

「そう、楽しみにしてるわ。本当に今は、それくらいしか楽しみがなくて」

不満を吐き出すようにエミリーが言った。アシュレイも同じ気持ちだった。

パーティーという名の、反ルイスの集《つど》い。啓とラウルを失った忌まわしき日から、折を見て仲間内で集まり始めた。


あの悲劇が始まった夜の出来事は今でも悪夢としてアシュレイを悩ませている。ルイスが啓の出自をどこからか知り、薔薇騎士団のメンバーの前で糾弾《きゅうだん》した夜。啓の母親であるマリアは、薔薇騎士団の裏切り者として語り継がれてきた女性だ。その彼女が実はアダムという《不死者》の始祖である男の娘だったことが、明らかになったのだ。これまで《不死者》が子どもを作れるなど聞いた例《ためし》はなく、ヴェロニカの死に土産として残された手紙を見た時も、アシュレイは半信半疑だった。そんな神をも畏《おそ》れぬ所業が、許されるのか？

ルイスは容赦なく啓を責め立て、衛士《えじ》に銃を持たせて捕らえようとした。かねてよりルイスの危険性を考慮していたアシュレイたちは、一応の保険として逃げ道の確保と逃亡先を手配していた。けれどまさか本気で啓に向かって銃を撃つ者がいるとは考えていなかった。あの日を思い出すたび己の甘さに歯ぎしりをする思いだ。ラウルは啓を連れ、船着き場へ向かった。夜会で騒動が起き、ラウルが啓を連れて逃げた後、アシユレイは能力を使って彼らの逃亡劇を見ていた。ラウルは衛士の撃った銃によって、怪我《けが》を負っていた。だがそれを隠して啓を抱え、愛犬サンダーと共にバイクで入り江までつけた。

《不死者》が二人を襲っている姿が見えた。啓の力によって《不死者》が灰になっていく光景の直後、もっとも恐るべき相手がラウルの前に立ちはだかるのが分かった。

アダムがラウルと対峙《たいじ》している姿と、啓が見知らぬ女性のボートで連れ去られる様子。アシュレイが二人を見たのはそれが最後だ。アシュレイの能力が有効な範囲を超えたのか、それ以降、啓とラウルの姿はかき消されたように見えなくなってしまった。

翌日、実際に入り江に赴《おもむ》いてみると、啓の力によって滅ぼされたらしき《不死者》の灰がいくつか残っていた。足取りは高い塀の前で途絶えている。地面にはラウルの血痕。近所の住人から聞いた話では、犬がやたら吠えていたという。啓の姿を追うのに必死で、サンダーがどうなったかアシュレイは見ていなかった。

ラウルの残していった血痕は、死に至るほど大量ではなかったが、それでも怪我を負ったのは由々しき事態だった。ラウルは強いが、不死身ではない。なによりもアダムと闘う姿がアシュレイが見た最後の光景なのだ。もしかしたら彼はもう死んでいるのかもしれない。考えたくないが最悪の結果が起こった可能性も視野に入れた。入り江に用意しておいたボートが使われた形跡はなく、それはすなわちラウルがボートを使えない状況に陥《おちい》ったのを意味する。ラウルは啓の《守護者》で、会った瞬間から啓に心を奪われていた。その彼が自ら啓と離れる道を選ぶわけがない。おそらく――ラウルはアダムに殺されたか、捕まったかしたのだろう。ここでアダムが出てくるなんてアシュレイもラウルもまったく考えていなかった。信じられない話だが、これを偶然とは到底思えない。となれば、ルイスはアダムと通じているということになる。

最初、アシュレイは啓もラウルと一緒に捕まったと覚悟した。ボートで連れ去られるところを見たし、啓は意識を失っていたからだ。だがあの日以来、ルイスは啓の行方を血眼《ちまなこ》になって捜している。演技とはとても思えないから、ルイスには捕まっていないのだと分かった。しかし、だとしたらどこへ？　啓はマルタにはまだ不慣れで、知り合いもそう多くはない。彼を匿《かくま》ってくれる人間が、それほどいるとは思えなかった。しかもあの女性。見覚えはまったくないが、どこか不安を掻き立てる存在だった。

　二年と七カ月経った今なお二人の消息は知れない。生きているのか死んでいるのか、それすらも分からない。

　時を戻せるならあのヴェロニカの葬儀の日に戻したかった。ルイスを見くびっていた。アダムが参戦してくるなど想像もしていなかった。できることはもっとあったはずだ。後悔しても意味がないと分かっていても、悔やまれてならなかった。

「アシュレイはどこへ行っていたの？」

　屋敷から遠去かるといくらか気分が落ち着いたのかエミリーが尋ねてきた。

「海岸にポールの遺体が打ち上げられました。血を吸われていた。葬儀で彼の死に顔を見ることは叶わないでしょう」

　苦しげにアシュレイが報告すると、エミリーが再び目に怒りの炎を燃やし始めた。

「いつまで待てばいいのかしら」

　エミリーが爪を噛み、不穏な声音で発する。怒るとエミリーはますます綺麗になる。

「神よ、この苦しみはあなたの与えたもうた試練なのですか。もしそうなら尻を出しなさい、今すぐ蹴とばしてやるから」

　なげやりな口調でエミリーが告げ、力なく肩を落とした。

「あそこでいいわ。ありがとう、じゃあね」

　次の信号で停めると、エミリーが礼を言って車から降りていった。下ろしたスーツケースを引いて去る姿を見送る。アシュレイは疲れを感じ、眼鏡を外して眉間を揉んだ。

エミリーの言う通りだ。我々はいつまでこうしていればいいのだろう。啓もラウルもいなくなり、もう一人の《守護者》であり《不死者》であるレヴィンは眠り続けている。せめて啓が生きている証《あかし》が欲しい。希望もなく腐っていくのは想像以上につらい。

「これが私が憧れていた薔薇騎士団なのか…」

再び眼鏡をかけ、アシュレイは苦しげに息を吐いた。


啓が糾弾され、消えた翌日。薔薇騎士団の正規メンバーが集まり、会合が開かれた。もちろん議題は啓の処遇と次期総帥についてだ。

誰も彼もが困惑していた。《薔薇騎士》だった啓が、アダムという憎き敵の孫であることが判明したからだ。ただ一人すっきりした顔つきをしていたのはルイス・ベアズリーだ。絵画から抜け出てきたような美少年といった容貌のルイスは、二階の会議室の所定の位置に座っていた。隣が空席になって満足そうだ。

会議室は円卓がある部屋で、壁にはパネルや歴代の総帥の肖像画が飾られている。アシュレイは机の一つが壊れているのを見やり、胸苦しさを覚えた。壊れている机はラウルの席で、少し前にルイスと言い合いになり、怒りにまかせて破壊したものだ。こんなふうにのんきに会議などしている場合ではない、という焦りを覚えるのに、表だって動けないのがもどかしかった。

「昨日宣言した通り、僕が唯一の《薔薇騎士》になった。僕が六代目総帥になることに異論のある者はいないだろうな？」

会議が始まると早速ルイスは嬉々《きき》として立ち上がり、自分の立場を主張した。《判断する者》の中でも最高齢のバートンはかなり悩んだようだが、結局ルイスの主張を認めた。啓とアダムの関係が明らかになった以上、現時点でルイス以外に総帥の座につく資格を持つ者はいなかったからだ。正規メンバーの中には賛成しかねるという顔つきの者も多かったが、反論する有効な手立てがない以上、なにも言えなかった。

「ケイの処遇をどうすればいいのか……」

啓の処遇に関して話が移ると、誰もが頭を悩ませた。すぐに文也《ふみや》が立ち上がり、毅然とした態度で啓の潔白を訴えた。

「啓は自分の両親のことも知らなかったのです。彼がたとえアダムの血を引いているからといって、彼にどんな罪があるというのですか。拘束するのはおかしな話です。なによりエリックだってアダムの子孫だ。いや、大きなくくりにすれば四家の間で婚姻関係にあった者は多いんだ、ここにいる正規メンバーの中にもアダムの血を引いている者だっているのではありませんか？」

文也はたった一日でげっそりと頬がこけ、目尻のしわが増えたようだった。彼は《不死者》との闘いで右足を失い、今は義足を使って生活している。

「それは少し乱暴な言い方ではないですか？」

《判断する者》の一人、メリッサ・エーメは白髪の綺麗な初老の女性だ。バートンと同じく長い間《薔薇騎士》不在の薔薇騎士団をまとめてきた女性で、いつ会ってもにこりともせず鋼《はがね》のごとき強い意志を目に湛《たた》えている。

「そうだ、僕の中には《不死者》の血なんて流れてない」

文也の言い分に腹が立ったのか、ルイスが怒りを露《あらわ》にする。

「《不死者》の血を引いているかもしれないが、あの子はまぎれもなく《薔薇騎士》だぞ？　これまでもたくさんの《不死者》を倒してくれたじゃないか」

《判断する者》の一人、ポールが顰めっ面で異議を唱えた。ポールは五代目総帥を好いていたので、彼の忘れ形見であり面影を残した啓を守りたいと思ってくれているのだ。

「それはその通りです。けれど我々の目的はあくまで

《不死者》殲滅《せんめつ》です」

メリッサは氷のような眼差しできっぱりと断言した。エーメ家の一員である彼女は、ルイスの味方なのかもしれない。

「ちょっとお待ちください。そうするとケイは《不死者》なのですか？　それとも《薔薇騎士》？　そこのところをはっきりすべきでは？」

それまで黙っていたオルテンシア・カストロ・サントーニャが身振り手振りを加えて意見した。弱冠《じゃっかん》二十歳《はたち》の《判断する者》で、スペイン国籍を持つ男性的な風貌をした女性だ。刈り上げた髪に薔薇騎士団の制服がよく似合う。

「私にも言わせてください」

《判断する者》たちの意見を聞いていたアシュレイは、そこで耐えきれなくなり挙手して立ち上がった。正規メンバーの視線がアシュレイに注がれる。

「皆さん、よく考えてください。《不死者》は一度死んで生き返ったもののことです。血を欲し、生きた人間を襲う異形のもの。だからこそ彼らを殲滅するために我らの組織が作られたのではありませんか？　啓は生きています、血を飲むなんて恐ろしい真似はしたことがない。その彼を《不死者》？　そんな理屈はおかしい。私は提案したい、こんな時こそ、《判断する者》が啓をどうすべきかジャッジして――」

「くだらない！」

正規メンバーを説得しようと思い、アシュレイは熱意を込めて言葉を綴《つづ》った。だが途中でルイスの嘲るような笑いに言葉は失われた。ルイスはぎらぎらした目をアシュレイに向け、まるで対抗するみたいに立ち上がって両手を広げた。アシュレイは自分の話を遮《さえぎ》ったルイスを、アダムと通じている裏切り者と誹《そし》りたかった。しかし確たる証拠もなく糾弾すれば、アシュレイは逆にルイスに処罰されてしまうだろう。

「アシュレイ、お前はケイの取り巻きだったからな。ついていく奴がいなくなって、必死なんだろう。だけどこれからは違うぞ。こんな会議は無意味なんだ」

急にルイスはなにかから解放されたように声高に叫び始めた。

「バートン、お前はさっき僕が総帥になるのを認めた。だから僕は総帥として命じる――――ケイを捕まえて僕の元に連れてくることを。これは総帥としての命令である」

これまでの鬱憤《うっぷん》を晴らすかのように、ルイスは正規メンバーを見下して言い放った。皆が息を呑み、戸惑いの眼差しをルイスに向ける。

「総帥の命令は絶対だ――――そうだったな？」

ルイスは確認するようにバートンに鋭い目つきを向ける。

「それはそうだが…、しかし…」

バートンはルイスの横暴にまごついた。反論したいができないといった顔つきで、ルイスを仰いでいる。

「ケイの処分は僕が決める。以上で今日の会議は解散だ――――」

強引に解散を命じるルイスに、当然のことながら文也や兵藤《ひょうどう》、エミリーや他の正規メンバーも強張った表情で反論しようとした。その彼らの口を封じるためか、次に出た行動にアシュレイは驚きを禁じ得なかった。

「反論は許さない。これからは僕が法律だ――――入ってこい！」

ルイスの声と同時に、扉から衛士が十人ほど会議室に入ってきたのだ。誰もが銃を所持し、壁際に一列に並んでルイスの命令を待っている。薔薇騎士団に所属している以上、サブメンバーのはずだが、どの顔も見覚えがなかった。そういえば数カ月前にルイスの父、フィリップ・ベアズリーの推薦でサブメンバーに加えられた男たちがいた。ベアズリーは前々からこの機会を窺《うかが》っていたに違いない。

「こ、これは…」

バートンもポールも呆気にとられている。他の正規メンバーも呆然としていた。

「僕の警備兵たちだ。そうだ、総帥になった僕から、最初の命令だ」

ルイスは先ほども命令を下したばかりなのに、浮かれて忘れてしまったのか厳《おごそ》かな口調で朗々と告げた。

「今日から、各自の能力を使う時には、必ず僕の許可を得ること。みだりに能力を使うのは禁じる」

信じられない発言がルイスの口から出てきて、アシュレイは目を見開いた。能力を使わせないための詭弁か。

「冗談じゃない！」

「無理です、そんな――」

「なにを考えて――」

正規メンバー全員が口々に異論を唱えた。けれどルイスはどこ吹く風といった様子で笑い、腕を組んで正規メンバーを睨《ね》めつけた。

「使うなとは言ってない。僕の許可をとれば使っていいんだ」

各自の能力を制限するなんてこれまでの薔薇騎士団の歴史上ありえなかった。ルイスは愕然《がくぜん》とした顔つきの正規メンバーの顔を眺め、最後に忌々しげに雄心を睨《にら》む。

「お前は僕の前で一生口を開くな」

ルイスの睨みは雄心にはあまり効かなかったようだ。雄心は無言で宙を見ている。啓がいなくなってから雄心は抜《ぬ》け殻《がら》みたいにぼんやりしているのだ。

「ルイス、そんなやり方は《薔薇騎士》にふさわしくない」

さまざまな反論が出たが、中でもバートンは絶望に満ちた表情でルイスの考えを変えさせようと必死になっていた。むろんルイスの考えが変わるはずがない。

「僕の命令に背くものは、処刑する――」

机から離れ、衛士たちの前に立ってルイスは冷たい声音で告げた。ルイスが本気なのは昨夜の啓に対する態度を見ていれば想像できた。なにがなんだか分からなかった。昨夜から正規メンバーは皆混乱していて、ルイスの強引ともいえる統率に逆らうきっかけを見出せずにいた。

　そしてその会議の日から一週間後、ルイスがまずしたことは、ルイスの親衛隊を作ることだった。ルイスを愛し、ルイスを守る衛士たちがその任についた。あとから知ったのだが、ルイス親衛隊はどこへ行くにも一緒で、ルイスに逆らう者には容赦なく鉄槌《てっつい》をふるうらしい。親衛隊の規則は厳しく、時々脱落する者もいたようだ。多くはベアズリー家が所有する会社関連の者で、逆らうと生活が危うくなるためルイスの命令に従っているようだった。

　ルイスは《薔薇騎士》には誰も逆らえない、というのを盾にして、やりたい放題の生活を始めた。一カ月後には正規メンバーしか住めないはずの薔薇騎士団の屋敷に、衛士たちを住まわせるようにした。彼らはメイドやコックと同じというのがルイスの主張だった。空室が多かった屋敷は衛士たちで埋まり、その数は少しずつ増えていった。屋敷にいても緊張して迂闊《うかつ》なことを喋《しゃべ》れない日々が始まり、アシュレイたちは閉塞感を募らせていた。

　中でもマリオはラウルがいなくなり、どうしていいか分からなくなっていた。一応公務ではルイスの傍にいるものの、ルイスの横暴さに嫌気が差し、学業がおろそかになるという言い訳をしてイタリアに行ってしまった。

　啓とラウルが消えて半年が過ぎたあたりで、アシュレイは日本で啓を守っていたメンバーと秘密の会合を持った。彼らと秘密の話をしたくても、これまで監視の目がきつくてできずにいたのだ。

　ルイスが六代目総帥としてマルタ大統領の主催するパーティーに招かれた日、アシュレイたちはそれぞれ違う国を経由して日本に集まった。これまでにも屋敷内で啓とラウルがどうなったのかと話すことはあっても、いつも聞き耳を立てている人間がいて詳しい事情を明かせずにいた。アシュレイだけではなく、皆が苛立ちを覚えていた。

　日本に集まり、懐《なつ》かしささえ感じるレヴィンの邸《やしき》で顔を合わせた。盗聴器などはしかけられてないと確認してから、アシュレイは啓とラウルが行方知れずになるほんの少し前に起きたことを皆に打ち明けた。

ルイスがラウルに自分の《守護者》になれと迫った、審問会の日の話だ。


「ここなら誰も聞いてないな？」

ラウルは五代目総帥がかつて暮らしていた屋敷の屋根の上に立ち、ぐるりと周囲を見渡して呟いた。

すでに夜も更け、辺りは静まり返っていた。ラウルはアシュレイが風呂に入っている最中だったというのに、突然レヴィンのところへ行くと言いだし、夜のドライブにアシュレイと啓を連れだした。赤毛の長身のイタリア男は、思い立ったら即行動するという猪突猛進な性格をしていた。アシュレイとしては大事な《薔薇騎士》である啓を連れていくとあっては見過ごせず、急いで加わったものの、髪も濡れたまま車に乗せられるは、いきなり高い屋根の上に連れていかれるはで散々だった。これでたいした話じゃなかったら、ラウルを締め上げてやる。ずれた眼鏡を指で押し上げ、アシュレイはラウルと向かい合った。


「俺も連れてけよ！」

下ではおいてきぼりにされた啓が怒鳴っていた。アシュレイも啓を外して話すことに戸惑いを感じていた。ラウルは啓には聞かれたくない話をするつもりのようだが、それは何故だろう。聞かせたくないなら連れてこなければいいのに。小さな疑問を深く考える暇もなく、目の前に金糸を揺らせて男が跳躍してくる。《不死者》であり、《守護者》であるレヴィン・バーレイだ。五代目総帥が存命の頃、彼の右腕となって働いていた男。整った顔の怜悧《れいり》な眼差しが、ラウルに注がれる。


「話とはなんだ？」

レヴィンと話がしたいと言って、こんな夜中に車を飛ばしてきたのはラウルだ。同じ《守護者》といえども、彼らは犬猿の仲だった。時に殺し合いを望むほどで、話をするなんてこれまでの経緯《いきさつ》からありえなかった。よほどの話があるに違いない。

「――単刀直入に言うよ。ルイスは《薔薇騎士》じゃない」

ラウルはレヴィンとアシュレイを見て、はっきりと断言した。その瞬間、アシュレイはぎょっとして身をすくめ、ラウルを食い入るように見つめた。その疑惑はルイスが儀式を受ける前、アシュレイも抱いていたが、今では彼は本物だったのだと考えを改めていた。

「今日、審問会でルイスが俺につけって命令した。あの時は怒りもあって冷静になれなかったんだけど、考えれば考えるほどおかしいんだ」

「あのことですか…」

ラウルが審問会の話をしたので、レヴィンにも分かるようにアシュレイが簡単に説明をした。ルイスが啓にはレヴィンがいるのだから、ラウルは自分の《守護者》になるべきだと命じたこと、総帥の座を啓と争うと宣言したこと。レヴィンはアシュレイの説明に流麗な眉を顰《ひそ》めた。

「大事なのは、ルイスが俺に命令した時のことなんだ。ルイスの命令は、まったく俺の心に響かなかった。絶対にやらないと頭に血が上っただけ。でも、ルイスが《薔薇騎士》ならそれはおかしい。だって俺は啓に命じられた時は、どうやっても逆らえないんだ」

ラウルのもどかしげな訴えにアシュレイは最初意味が呑み込めずにいた。だがよくよく聞いてみると、自分が想像しているよりもずっと《薔薇騎士》と《守護者》の関係が絶対であることが理解できた。

「啓が最初に俺に命じたのは、レヴィンと初めて会って闘った時だ。啓がやめろと言ったとたん、俺の身体はぴたりと止まってしまった。どうしてか分からないけど、それからも啓が本気で命じると、俺の身体は操り人形みたいに意思を失う」

ラウルの話はアシュレイにとっては驚きだったが、レヴィンにとってはごく当たり前の話のようだった。

「そうなのですか？」

アシュレイが確認すると、レヴィンが鷹揚《おうよう》に頷き薄い唇を開く。

「それが《薔薇騎士》だ。《薔薇騎士》の命令は絶対だというだろう。あれは掟《おきて》やルールを差すのではない、身体がそうなるよう仕向けられる。特に《守護者》は……」

懐かしげな顔をしてレヴィンが呟いた。もしかしたら彼は在《あ》りし日《ひ》の思い出を甦《よみがえ》らせていたのかもしれない。

「ルイスは違う。啓に会った時一目で惚れたから、俺は啓が特別なんだと思っていた。でも、そうじゃない。レヴィン、あんたなら分かるんだろう？　あんたは何人もの《薔薇騎士》と過ごしてきたんだ。ルイスは本物の《薔薇騎士》なのか？」

ラウルが強い意志を秘めた眼差しをレヴィンに向けた。ここに至ってようやくラウルがレヴィンに会いたがった理由が分かった。ラウルはこれを確かめたかったのだ。

レヴィンはわずかに躊躇《ちゅうちょ》して、言葉をすぐには口にしなかった。けれどラウルの鋭い眼差しに観念したように両手を軽く上げた。

「――――そうだな、ルイスは偽物だろう」

きっぱりとレヴィンが断定した瞬間、アシュレイは息を詰め、こめかみに嫌な汗が流れるのを感じた。これは恐るべきことだ。二人の《守護者》がルイスを偽物だと判定した。儀式を受け、それをやり遂げたルイスを。

「し、しかし…、ほ、本当なのですか⁉　何故もっと早く言ってくれなかったのです？　だとしたら大変なことに…っ」

アシュレイが動揺するのとは裏腹に、ラウルはレヴィンの答えにすっきりした顔つきになった。胸のつかえがとれたような顔だ。

「やっぱりそうなんだな。俺は啓しか《薔薇騎士》を知らない。だから今まで自信が持てずにいた…」

噛みしめるような表情でラウルが呟く。

「俺は《不死者》だ。もう薔薇騎士団に口を挟めない。……ルイスが《薔薇騎士》ではないのは分かっていたが、いずれ明らかになるだろうと思って黙っていた。《薔薇騎士》ではない者がなりすまそうとしても無理に決まっているからな」

「しかし、それならどうやって儀式を乗り切ったというのですか⁉」

二人の言い分を聞いていると、ルイスが《薔薇騎士》ではないのは確実に思えた。けれどルイスは儀式をこなしたのだ。文也や雄心が立ち合ってちゃんと確認した。

「迷路はあらかじめ道を知ってりゃ、どうにでもなるんじゃないか？」

ラウルが首をひねって言う。

「迷路を抜け出せても、《薔薇騎士》は正規メンバーの前で最後に《不死者》を灰にしなければならないのですよ？　文也や雄心が確かに灰にしたと証言したではないですか」

実際に現場でアシュレイが見たわけではないが、文也や雄心が嘘をつくとはとても思えない。アシュレイの疑問にはラウルもレヴィンも反論せず、考え込むような顔になった。

「なにかからくりがあるのだろう…。今は分からないが」

レヴィンが目を細めて呟く。《不死者》を灰にできる方法がもしあるのならば、《薔薇騎士》など必要なくなってしまう。そもそもそんな方法があるのなら、どうして公にしないのか。アシュレイは突然生じた大きな疑惑に、めまぐるしく頭を働かせた。

「これは大変なことです。ルイスが本当に偽物なら、彼はどうしてそんな真似を？　ルイスは総帥の座につくつもりなのですよ。偽の《薔薇騎士》が総帥に？　いや、そんなことよりも、もっと大変なのは――」

立ちはだかる大きな壁にアシュレイは顔を強張らせて二人を見た。

「《不死者》を灰にできるルイスを、どうやって偽物だと証明するのですか？」

　アシュレイの低く押し殺した声に、ラウルとレヴィンが顔を見合わせた。二人とも眉間にしわを寄せている。ラウルは腕を組み、うーんうーんと唸《うな》り声《ごえ》を上げている。

「どんな方法で《不死者》を灰にしているか、探らねばなりません。ふつうの人間なら、灰にできるわけがないのです。ラウル、あなたルイスに張りついて探ってきなさい」

　命じたとたん、ラウルが憤慨した様子で怒鳴ってくる。

「断固拒否！」

　アシュレイは溜息を吐き、ルイスを探る手立てをいくつか提案したが、そのどれもが実現は難しく、その夜は朝が白むまで三人で話し続けた。

　結局ローレンスに事情を打ち明け、こういった仕事が得意な彼が金と人を使って調査を始めることになった。ローレンスはベアズリー家にスパイとしてメイドを送っており（彼はエーメ家にも同様にスパイを送り込んでいる）、その間者《かんじゃ》から少しずつ情報が入った。ルイスの刻印が現れるより少し前、ルイスと彼の父フィリップ・ベアズリーは極東の国へ旅行していたという。おそらくこの時刺青でも施したのだろう。帰ってきた時、ルイスは異様なほど浮かれていたらしい。

　しかし分かったのはそこまでで、ルイスがどんな手品を使って《不死者》を灰にしたのかは判明しなかった。アシュレイはこの話を文也やエミリー、雄心、兵藤に打ち明けるべきか悩んだ。薔薇騎士団内に波紋を広げる問題だ。おいそれとは話せなかった。肝心の啓にも同様だ。ラウルとレヴィンは啓にこの話をすべきではないと意見を一致させていた。彼ら二人は啓がこういった隠し事が苦手なのを分かっているし、なにより啓が苦しむ話はしたくないと意見を揃えていた。

　そして、あの忌まわしき日が訪れた。忘れもしない女子修道院が《不死者》に襲われた日、同時に啓の出生の秘密を知らされた。レヴィンは死にも似た眠りに落ち、ルイスに糾弾された啓とラウルは薔薇騎士団から逃げだした。衛士が放った銃弾とラウルがシャンデリアを多数落下させたせいで、薔薇騎士団の屋敷はひどい騒ぎになって、負傷者も何人か出た。啓たちの逃亡劇を能力を使って見ていたアシュレイは、心身共に参っていた。その上後始末に追われ、アシュレイは疲れた身体を引きずって屋敷に戻り、ベッドに横たわった。

そのとたん、電流のようにすべての事例が繋《つな》がった。

シスターヴェロニカは、生前あることを漏らしていた。啓が調査している自分の血についてなにか分かったかと聞いた時だ。

『それについては驚くようなニュースがあるかもしれないわ。あなたの負担を軽減できるような…。もしかしたらあなたが闘わなくてすむかもしれない』

ヴェロニカは具体的には話さなかったが、もしあれが啓の血によって《不死者》を灰にできる可能性を示唆していたのなら――。

(儀式をこなすことは可能だ！)

アシュレイはベッドから起き上がり、髪をかきむしってどうしてそれに気づかなかったのか悔やんだ。

確かルイスの儀式の前に、啓はシスターたちに調査のために採血した血を渡している。修道院にルイスの手の者がいるとは思いたくないが、手に入れることは可能だったはず。

(まさか、修道院を襲ったのはルイスなのか？)

背筋が寒くなるような発想にアシュレイはいてもたってもいられず、部屋中をうろつき始めた。可能性がまったくないわけではない。なによりもラウルの行く手を遮るようにアダムが現れたのは不自然だ。薔薇騎士団メンバーともあろうものが、修道院を襲うなんて、信じがたい暴挙だが、疑惑は深まる。

(不自然といえば、あの日ルイスがイタリアに出かけたのも今考えればおかしい。そうだ、もしあの日ルイスがマルタにいたら、修道院に連れていかれ、能力を

顕示しなければならなかった。それを避けるためにも……？　あらかじめ知っていれば、可能だ）

そこまで考えて、これは簡単に片づけられる問題ではないとアシュレイも今さらながら気づいた。相手はルイスだけではなく、薔薇騎士団の最大の敵であるアダムなのだ。

修道院を襲った《不死者》は啓の血を盗んでいった。おそらくルイスが奪ったのだろう。ルイスを偽物だと糾弾したくても、ルイスが啓の血を持っている限り、《不死者》を灰にできる。むしろ言いがかりをつけたとしてアシュレイを責め立てるだろう。

明け方近くまで思考に耽《ふけ》り、アシュレイは自室のバルコニーに出て、白み始めた空を見た。こんな状況に陥るなど考えたこともなかった。《薔薇騎士》を騙《かた》る愚か者が現れるなんて。ルイスはそれほどまでにその地位につきたかったのか。どれほど賛辞され崇《あが》めたてられようと、所詮紛《しょせんまが》い物《もの》でしかないのに、ルイスはそれで満足なのか？

（なんとかしてルイスが偽物だと証明するために、動きださなければならない）

考えても詮無いことだが、どうしてもっと早くこの可能性に気づかなかったのか。不穏な気配を感じ取っていたからこそ、最悪の事態を考えて船と逃亡先は用意しておいた。けれど啓もラウルもどうなったか分からない。こうなってみるとレヴィンが深い眠りに落ちてしまったのが悔やまれた。早く目覚めてくれればいいのだが——。

眼鏡を外し鈍痛を放つ両目を細め、アシュレイは昇り始めた太陽を眩しげに見た。

秘密裏に集まった信頼できる仲間に、アシュレイは啓とラウルが消える少し前に起きた出来事を語った。文也もエミリーも雄心も兵藤も驚き、しばらく言葉を失っていた。そして蜂の巣をつついたように騒ぎ始めた。

「どうして言ってくれなかったの⁉」

「そんな馬鹿な話が――」

「なんと恐ろしい…っ」

これまで話せずにいた事情は、彼らに驚愕を与えた。特にエミリーは打ち明けなかったのを信頼されていないのも同然だと憤った。主のいない邸内にエミリーの通常より甲高くなった声が響く。

「申し訳ありません。なにしろその話が出た後すぐあのような騒ぎになり…、私たちの失態です。まだルイスがはっきりと偽物だと言える証拠がなかったものですから」

深く頭を下げてアシュレイは謝った。レヴィンの邸のリビングは、少し湿気《しけ》た臭いはしたが綺麗に片づけられていた。向かいのソファに腰を下ろしていた文也は、両手で顔を覆い恐ろしい事実に呻《うめ》いた。

「我々の責任でもある…、儀式の時にもっとルイスを監視すべきだった。ルイスに啓の血を塗ったナイフを渡したのは誰だ？　あの場には正規メンバーしかいなかったから、油断していた。いや、そうだ。そういえばあの時、ベアズリーも立ち合っていたな！　なんということだ…これは…由々しき事態だ…」

「文也殿、ご自分をそう責めてはなりませんぞ。しかしこれでルイスが啓殿を血眼になって捜す理由が分かったではありませんか。彼は啓殿の血がないと《薔薇騎士》でいられないということなのでしょう」

文也の肩を摩《さす》り、兵藤が慰める。兵藤はつるりとした頭の六十代の男で、《癒す者《ヒーラー》》だ。

「あの日からずっとラウルも啓も見つからないわ。アシュレイ、二人は無事なの？　それともルイスに捕まってしまったというの？」

やや落ち着きを取り戻したエミリーが、苛々とした様子で爪を嚙み、猫みたいに鋭い目を向けてきた。

「啓はおそらく捕まっていないと思われます。兵藤が言ったとおり、そうでなければあれほどルイスは躍起になって捜したりしないでしょう。ただ、だからといって無事かどうかもまた分かりません。啓は見知らぬ若い女性のボートで連れていかれた。ラウルは……怪我を負ったまま彼らに捕らえられているはずです。あるいはもう…」

　アシュレイの言葉に文也や兵藤、エミリー、雄心が息を呑む。彼らはラウルが消えたとは思っていても死までは想像していなかったに違いない。彼らを絶望の淵に落とすことになると分かっていても、アシュレイはあの夜ラウルがアダムと対峙した瞬間を語った。

「私が最後に見たのは、ラウルとアダムが闘っている姿です。ラウルは強いが銃で撃たれて怪我を負っていました。死んではいないと思いたいですが…。あれ以来マルタ島内は捜しつくしています。残念ながらラウルの姿は見当たりません…」

　重苦しい声でアシュレイが告げると、室内が静まり返った。誰もが沈痛な表情になり、ラウルの無事を願っている。だが誰もが考えたに違いない。ラウルがもしアダムに捕まったのなら、当然血を吸われていると――アダムは《薔薇騎士》の次に《守護者》の血が好きだ。

「考えたくないわ…。あのラウルが《不死者》になるところなんて」

　額に手を当ててエミリーが隣に座っていた雄心の肩にもたれる。雄心はエミリーを悲しげな目で見やり、もたれるエミリーを好きにさせておいた。

「アシュレイは能力を使っているのか？」

　それまで苦しげだった表情の文也が、ふと気づいた様子で目を見開いた。総帥の命令として能力の行使禁止を言い渡されてからというもの、正規メンバーは能力を封印している。けれどアシュレイはルイスが偽物と分かっていたので、ひそかに能力を使っていた。そもそも《薔薇騎士》の存在は絶対であり、その言葉を疑う者は薔薇騎士団には存在しない。だからこそ、ルイスを偽物と知っているアシュレイ以外、誰ひとり能力を行使しなかったのだ。ルイスも、ルイスの親衛隊たちも、特に監視している様子はない。この命令には抑止能力がない。

「誰か監視している人間がいるのではないかと思いましたが、その心配はないようです。ルイスは命令さえすれば、皆が使わないと思い込んでいる。これまで幾度となく使いましたが気づかれた様子はありません」

「それは朗報だ」

文也の目に光が灯り、それまでの暗い面持ちに変化が表れた。文也は身を乗り出し、今は義足となった右足を撫でた。

「ルイスの罪を公にするためにも、啓とラウルを捜そう。今夜ジャッジを行う。ルイスが偽物か、啓が敵に捕まっているかどうか、ラウルが生きているかどうかを問おう」

決意を秘めた眼差しに、アシュレイはようやく少し前に進んだ気分になれた。この半年、鬱々《うつうつ》とした後悔ばかりがアシュレイを苦しめたが、いつまでも過去を振り返っている場合ではない。一刻も早く二人を捜すことが大事なのだ。


「それにしてもレヴィンがそんなことになっていたなんて知らなかったわ」

硬い顔つきでエミリーが呻く。

レヴィンはどうしたのかとこれまでに何度か聞かれたが、情報が漏れることを恐れたアシュレイは黙っていた。だが啓たちの話をするなら避けて通れない問題だ。レヴィンが啓の血を飲んで状態がおかしくなったという話に、一番憂《うれ》えていたのは文也だ。文也は自分が止めたにも拘《かかわ》らず、啓が行動に出てしまったことに軽いショックを感じていたようだ。これまでなんだかんだいっても、文也が止めれば啓はそれに従っていたのだろう。息子が自立してしまったような感慨に耽っていたのかもしれない。

「今まで黙っていて、本当に申し訳ありません」

文也が部屋にこもり、能力を使っている間、兵藤が皆のためにお茶を淹《い》れてリラックスしたムードを作ってくれた。アシュレイが重ねて謝ると、さすがにエミリーも怒りを治めてくれた。

「でも考えてみれば啓が行方不明なのに、レヴィンが出てこないのはおかしいものね。まさか雄心の家に匿われているなんて」

エミリーが軽く雄心を睨みつける。雄心は無表情のままこくりと頷く。

「レヴィン殿がいたら、少しは状況は変わっていたのでしょうか」

兵藤が目を閉じて呟く。アシュレイもそれは考えた。レヴィンがいれば、ラウルと共に啓をマルタから連れ出せたはずだ。アダムが止めようと、二人の《守護者》がいれば最悪の事態には陥らなかったのではないか。

「未だにレヴィンは眠ったままなのね？」

お茶を飲みながらエミリーが尋ねると、雄心がまたこくりと頷く。半年が過ぎた今、レヴィンの様子は変わらない。腐ることも灰になることもないが、彫像のように固まった状態で雄心の家の地下に横たわっている。

「ジャッジの結果が気になりますな…」

兵藤が文也のいる部屋のドアを見て囁く。

文也は部屋にこもり、ジャッジを行っている。ルイスが偽物かということと、啓が敵に捕まっているかということ、それからラウルが生きているかという三点だ。ジャッジは通常イエスかノーの二択しかできず、ジャッジする案件を絞り込まなければならないのがネックだ。

「ジャッジの結果が出た」

三時間が経過して、文也がげっそりした顔で出てきた。ジャッジには多大な集中力が必要で、ジャッジを終えた《判断する者》はいつも頬をこけさせて部屋から出てくる。

「どうだったの⁉」

試験の結果を気にする学生みたいにエミリーが身を乗り出す。一気にいくつかのジャッジをしたことで文也の足は少しよろめいていた。どうにかソファに座り、ぐったりして話しだす。

「ルイスは偽物だと出た」

文也の口から出た言葉に、一同は息を詰めた。

「啓は敵に捕まってはいない」

続いての答えに、今度は皆胸を撫で下ろす。

「だがラウルは……生きているというジャッジは出なかった」

最後の答えに誰もが絶句した。アシュレイは特に深いショックを受け、意味もなく立ち上がり拳を握った。ラウルは殺されたのか、それとも《不死者》にされたのか、あらゆる悪い考えが頭を過ぎり、アシュレイを苦しめた。身を切られるようにつらい。何故自分はあの時ラウル一人に任せてじっとしていたのか。すぐにでも飛び出して追うべきだったのではないか。目頭が熱くなり、危うく部屋を飛び出しそうになった。

「待ってくれ、そうじゃない、違うんだ」

アシュレイやエミリー、兵藤、雄心の絶望に満ちた顔を見て、急いで文也が首を振る。

「死んだかという問いもしたが、その答えも出なかった。最後に《不死者》になったかという問いもしてみた。その答えも出なかったんだ」

文也のもどかしげな説明に、アシュレイたちは戸惑い不可解な顔つきになった。生きてもいない、死んでもいない、《不死者》になってもいない――それは一体どんな状況だというのか。

「私の感じたままを言えば……ラウルはその境を彷徨《さまよ》っている。つまり三つのどの状況にも転がる可能性があるということだ。ラウルを救うためにも、一刻も早く彼を捜し出さなければならない。まだ間に合うと私は思う」

文也の出した答えに、アシュレイは力が抜けて、よろめくようにソファに腰を落とした。《判断する者》の答えは正しいはずだ。まだラウルは死んでいないのだ。絶対に助け出さなくては。

「ラウルは生き証人だ。彼を助け出せれば、ルイスの罪も問える」

文也の力強い言葉を聞き、アシュレイは眼鏡を外して目元を拭《ぬぐ》った。気が抜けたのか少し涙腺が弛んでしまった。

「ねぇ、《判断する者》たちが全員で、ルイスが《薔薇騎士》かどうかジャッジすればいいんじゃない？　皆偽物だって判定するはずでしょ？」

「エミリー、それは私も考えました」

エミリーの意見は至極真っ当に思えた。しかし現在の薔薇騎士団では正規メンバーが能力を使うことは禁じられている。もしそれでも能力を行使してルイスを糾弾すれば、ルイスは追放できるかもしれないが、総帥の命令に背いたことになり、行使したメンバーは罰を受ける。代々総帥の命令に背いた人間の罰は決まっている――薔薇騎士団からの除名だ。

「我々がこっそり身内で使う分にはいいでしょうが、公に反抗した者は除名処分にされるのが習わしです。《判断する者》が全員で指摘したら、今後の団の存続に関わります」

おそらくこういう状況を考え、ルイスは早々に能力の行使禁止を言い渡したのだろう。まずルイスを追放し、健全な状態に薔薇騎士団を戻さねばならない。

「除名した団員を再び加入させることができるのは総帥のみ…。なんとも厄介な話ですな。啓殿が見つからない今、迂闊な真似はできません。仮に見つかったとしても果たしてアダムの血を引いた啓殿を総帥にできるかどうか」

兵藤が難しい顔で告げたが、まさにその通りだ。仮に《判断する者》全員でルイスを追放したとしても、規則に逆らった時点で彼らは除名処分を受ける。総帥の座が空き、次の総帥がその座につくまで、彼らの除名処分が取り消されることはない。こういった規則は秘密結社において、いくら悪を追及するためだとしても、絶対に背いてはならないものだ。そうでなければ秩序が乱れていく。啓がすぐに見つかり総帥の座に納まればすべて解決する話だが、そう簡単にいくとはとても思えなかった。時に権力の座は抗いがたい甘美な誘惑となる。ルイスはその座にしがみつくために、あらゆる手を講じるだろう。

「それにしても啓を連れていったのは誰なんだ……。アシュレイ、本当に見覚えはないのか？」

ひとしきり話がすむと、文也がうなじを揉みながら尋ねてきた。それについてはアシュレイも何度も考えている。美しい女性だったという以外、なにも分からない。

「気になりますな。啓殿をさらってどうするつもりなのか……。《不死者》でしょうか？　啓殿の身が危うくなることはないのでしょうか」

兵藤が心配げに言ったが、仮に《不死者》だとしても身の安全だけは保障されると言っていいだろう。なにしろ《不死者》が啓の血を飲めばレヴィンのように意識を失い、死んだも同然の状態になる。文也のジャッジでは敵ではないと出たが、あれから啓が連絡をとってこないところを見ると、味方とは考えにくいのかもしれない。

「ともかくルイスに知られないようにして、啓とラウルの居所を捜そう。マルタから出ていったのだろうか？」

「あるいは地下墳墓《カタコンベ》かもしれないわ。アダムと通じていたなら、ラウルがカタコンベに捕らえられている可能性はあるでしょう」

エミリーに指摘され、文也は深く頷いた。マルタにはいくつものカタコンベがあり、そこではアシュレイやエミリーの能力が利《き》かない。カタコンベには大量の白骨があるせいではないかと常々エミリーとは話している。白骨が大量にあるところでは、森の中に隠れた木の葉みたいに《不死者》の姿が急に判別しづらくなるのだ。

「——カタコンベ、捜す」

それまで黙っていた雄心が、いきなり口を開いた。雄心自ら発言するなど、珍しい。アシュレイは驚き、他の皆も一瞬黙り込むくらいびっくりした。

「そうですな、一緒に捜しましょうぞ、雄心殿。まずはマルタ島内のカタコンベを一つ残らず」

雄心の肩を力強く叩き、兵藤が何度も頷いた。地道に足を使って行方を追うしかない。アシュレイもエミリーも頷いた。

「なんとしても、助け出そう」

文也も頷き、互いに決意に秘めた顔つきで、啓とラウルを救出するまでこの話は他言無用と誓い合った。

ルイスには絶対に知られてはならない。ヴェロニカの葬儀の日、ルイスの奸計《かんけい》にはまった。同じ過ちを二度と繰り返さないためにも。

今度はこちらが攻撃に出る番だった。


これまで一人で動いていたアシュレイは、仲間の協力を得て新たに動き始めた。

ルイスは大統領や各界の著名人、資産家とのパーティーに耽り、自己顕示欲を満たすことで満足していた。ルイスの父親のフィリップ・ベアズリーは事業を拡大し、ルイスが総帥であるのをいいことにかなり悪どい手を使って優秀な人材をライバル会社から引き抜いていた。ローレンスはたびたびベアズリーから経営的な打撃を受け、なんとかしてぼろが出ないかルイスの身辺を探っていたようだが、上手くいかなかった。それどころかベアズリーとエーメに傘下の会社をのっとられる有り様だった。

今やベアズリー家はどこにいっても大きな顔をしている。

――啓が消えて一年が過ぎた頃、薔薇騎士団内では異質な事件が頻発するようになった。

サブメンバーで失踪する人間が現れ始めたのだ。その誰もがルイスに嫌われるか、もしくはルイスに意見した者だったので、まことしやかにルイスに逆らうと消されるという噂が立った。もちろんルイスはこれを否定し、犯人捜しに奔走した。アシュレイにはルイスが演技で犯人を捜しているとしか思えなかったが、表向きは大人しくしていた。

この頃からルイスは少しずつ変貌し始めた。

最初の一年目はルイスは《不死者》討伐《とうばつ》という責務をこなしていた。ルイスに不満は多々あっても薔薇騎士団の正規メンバーが黙って従っていたのは、ルイスが《不死者》を灰にしていたからだ。ルイスは通報があれば衛士を伴って赴き、《不死者》を灰にした。

だが一年が過ぎた頃からルイスは屋敷に引きこもるようになり、《不死者》が現れてもめったに外に出なくなってしまった。なにかと理由をつけて出動を遅らせ、現場についた頃にはもう《不死者》は消えている。

そんな日々の繰り返しだ。その一方で、啓の行方を前以上に必死になって捜すようになっていた。この頃からアシュレイやエミリー、文也や雄心、兵藤といった啓と近しい人間に対する監視が厳しくなった。啓と連絡を取っているのではないかとルイスは疑い、目を光らせている。

おそらく啓の血のストックが切れたのだろう。ルイスにとっては絶対になくてはならないアイテムだ。焦っているルイスを想像するのは少し愉快だったが、とばっちりがこちらにくるのはいただけない。

《不死者》を灰にしなくなったルイスに、徐々にメンバーたちの不審感が増していった。特に女子修道院のシスターアンジーはルイスの元をたびたび訪れ、ドア越しにも声が聞こえるくらい詰問していた。シスターアンジーはシスターヴェロニカ亡き後、院長として女子修道院を率いていた。曲がったことの嫌いな彼女は、ルイスの行動をよしとせず、これまでもずっと意見してきた。

ルイスの報復を恐れていたアシュレイは、そんなシスターアンジーの身辺にも気を配っていた。

しかしその努力も虚しく、冬の雨が長く続いた週末、シスターアンジーは失踪した。方々手を尽くして捜したが見つからなかった。ルイスはシスターアンジーの後任に、大人しくてルイスに従いそうなシスタークラリスを据えた。

異変が起きたのは、年が明けて皆で食事をしていた時だった。

　メイドの悲鳴が聞こえてきて、食堂で食後のコーヒーを飲んでいたアシュレイは、ハッとして立ち上がった。同席していたのはエミリーと、ハロルドという《癒す者》で、一緒に悲鳴がしたほうへと駆けつけた。

　長い廊下に腰を抜かして逃げ惑うメイドがいた。ガタガタ震える指先で、廊下の奥を指す。

「た…っ、た…っ、助け…っ」

　メイドが歯を鳴らしてアシュレイたちに訴える。

　そこに《不死者》がいた。

　肉屑《にくくず》をまとったような身体でふらふらと歩いている姿が目に入る。レベル1の《不死者》だ。あまりに異質なものの存在に、アシュレイは一瞬思考が停止してしまった。薔薇騎士団の屋敷に《不死者》が現れるなんて、およそあってはならないことだ。

「どうしてここに⁉」

　ドイツ人のハロルドは、三人の中で一番早く冷静さを取り戻した。作りつけの棚の上に置かれていた壺を掴み、両手を伸ばしてこちらに近づいてくる《不死者》の頭をそれで殴りつける。ぐしゃりと嫌な音がして《不死者》は床に倒れ込んだ。壺は《不死者》の顔面をやや逸れて当たった。《不死者》はまだ両手を揺らめかせ、動きを止めない。

「銃を持ってくるわ！」

　エミリーが踵《きびす》を返して銃が保管されている部屋に駆けた。そうこうするうちに、もう一体の《不死者》が廊下の奥から現れる。

「アシュレイ！　ハロルド！」

　銃の保管庫から戻ってきたエミリーが、二丁の銃を投げて寄こす。それを宙で受け取り、アシュレイとハロルドは近づいてくる《不死者》の頭を撃った。弾丸は《不死者》の頭に二発撃ち込まれ、力なく床に崩れるさまが見えた。

「なんの騒ぎだ？」

　床に倒れていた《不死者》の頭を撃ち抜いた時、階上からルイスが下りてきた。

「——《不死者》が屋敷内に入り込んでいたのです。由々しき事態です」

ハロルドがルイスに近づき、説明する。

「ねぇ、これ…シスターアンジーじゃない？」

床に倒れた《不死者》を見下ろし、エミリーが低い声で恐ろしい言葉を発した。アシュレイもそれに気づいて、痛ましげに《不死者》を見つめた。《不死者》は修道女の衣服を着ている。皮肉なことに首にクロスをつけたままだ。

「シスターアンジーだと？」

ルイスはさも気持ち悪そうに動かなくなった《不死者》に近づき、眉間にしわを寄せて身を引いた。

「は、無様なものだな。床が汚れる。早く片づけろ」

青ざめてまだ震えているメイドに、ルイスがそっけない声で指示する。アシュレイは怒りを覚え、思わず手の中にあった銃をわずかに動かしてしまった。いっそこの銃でルイスを撃ち殺せば…。アシュレイらしからぬ考えは、隣にいたエミリーによって止められた。

エミリーはアシュレイの手から銃を奪い、立ち去るルイスの背中を睨みつけた。

「ルイス、仮にも女子修道院の院長を務めた方よ。もう少しかける言葉はないの？」

エミリーの鋭い声にルイスは振り返り、侮蔑した表情を浮かべた。

「うるさい女だった。灰にしてやる価値もない」

ルイスの返答にエミリーが気色ばむ。ルイスは話は終わったとばかりに食堂に姿を消した。

ちょうど騒ぎを聞きつけて階段からバートンや文也、オルテンシアが下りてきて、アシュレイたちの怒りは方向性を見失った。彼らも《不死者》が屋敷内に入ってきたことに驚き、そしてそれがシスターアンジーだと知り沈痛な面持ちになった。

「やはり能力を禁止するのは…」

ハロルドは生真面目な顔で、屋敷内の警備を厳重にするべきだとバートンに訴えている。確かに以前はアシュレイやエミリーといった特異な能力を持つ者がマルタ島内を監視していた。しかし今では能力を禁じられているため、屋敷内ですら《不死者》が入り込める状況になっている。

「ルイスが取り消してくれない限り、我々には打つ手がない…。何故ルイスはこんな暴挙を…？　《薔薇騎士》は高潔な存在だというのは我々の思い込みだったというのか…」

嘆かわしげにバートンが呟く。

「どうしてルイスは、この遺体を灰にしていかなかったのですか？」

シスターアンジーの見るも無残な遺体の前で、オルテンシアが不可解な表情で言った。

「《薔薇騎士》なら簡単なことでしょう？　ケイはワインでさえ《不死者》を灰にする力に変えた。どうして同じ《薔薇騎士》のルイスは、能力をもったいぶるのですか？」

アシュレイたちを順番に見やり、オルテンシアが眉を顰める。その問いに答える者は誰もいなかった。

「私、聞いてみます」

快活な口調でオルテンシアが告げ、食堂に向かった。

「待て、オリー」

意外なことにオルテンシアを止めたのは、バートンだった。アシュレイが止めるより早く口を開いたので、慌てて口を閉ざした。

「はい？」

「それは…あまり勧められない…、特に今は…」

バートンらしからぬ歯切れの悪い口調で呟き、オルテンシアの背中を押して食堂から遠ざける。バートンもルイスに盾突くことが危険な未来を招きよせることに気づいている。誰もがルイスに不審を抱いているのに、表だって口が利けない今の状況はひどく滑稽《こっけい》だった。

バートンの予想はある意味正しかった。

それから三カ月あまり経った日、オルテンシアが消えた。

失踪する数日前にアシュレイはオルテンシアがルイ

スと口論しているのを見ていた。オルテンシアは啓を引き合いに出し、ルイスの怒りを買った。オルテンシアにも身辺に注意するよう促していたが、シスターアンジーが消えた時と同じように、彼女もまたある日突然マルタから消えた。

そして空が綺麗に晴れた日、聖ヨハネ広場にオルテンシアはぼろぼろの肉体をまとって出現した。警察によって頭を撃ち抜かれたオルテンシアは、秘密裏に遺体を処理された。

刻印を持つ者ですら、ルイスに逆らうと消される。ルイスは薔薇騎士団内に恐怖政治をもたらした。サブメンバーでは脱退を願う者が続出し、ルイスは前にもましてヒステリックになっていった。

「もう耐えられない。俺はルイスを糾弾する」

ルイスが総師になってから二年と二カ月の月日が経った日、ポールが意を決した様子で打ち明けてきた。ポールの部屋には、バートン、文也、アシュレイ、エミリー、マリオ、ハロルドがいた。一緒に酒や煙草《たばこ》をふかしていたのだが、ポールは最初からその話をするためにアシュレイたちを集めていたのだ。マリオは来月儀式を迎えるため、屋敷に戻ってきている。久しぶりに会ったマリオがすさんだ目つきをしていたのは心配な兆候だった。マリオは《守護者》になるのをあれほど待ち望んでいたはずなのに、儀式を前にひどく憂鬱そうだ。

「俺は禁止されていた能力を使った。ルイスが総師にふさわしいかどうかをジャッジしたんだ。ルイスは総帥にふさわしくないと出た」

ポールの告げた言葉にアシュレイたちは驚き、目を見開いた。かねてからルイスの総帥ぶりを批判していたポールだが、とうとう我慢も限界に達したのだろう。とはいえさすがにルイスが偽物だと知らないポールは、《薔薇騎士》かどうかはジャッジしなかったらしい。

「ポール、それでは…」

「ああ、バートン。分かっている、総師の命令に違反した俺は除名されるだろう。だが構うもんか。こんな腐った組織にいるほうがおかしくなる」

苛々と煙草の煙を吐き出し、ポールが頭を振る。ポールは自ら人身御供《ひとみごくう》になり、ルイスを糾弾する覚悟だ。

「しかし…君がルイスを糾弾したとしても、ルイスを総帥の座から下ろせるわけではない。ルイスを追いだせるのは同じ《薔薇騎士》だけなんだ」

文也が難しい顔つきでポールの肩を撫でた。

「それも分かっている。まったく薔薇騎士団の掟はくそったれだ。ルイスが現れるまでは、問題なく過ごせたのにな。一人の悪政が始まってみれば、これほど愚かな掟に縛られていたのかとびっくりするよ」

ポールは悪態を吐いていたが、気持ちはすっきりしたのかバートンに笑いかけるだけの余裕を取り戻した。

「エリックが懐かしい。あの頃は黄金の時代だった。エリックのためなら俺の命の一つや二つ簡単に投げ出せた。でもルイスは駄目だ。あいつのためには指先一つ動かしたくない」

「俺も」

それまで黙っていたマリオが、急に口を開いた。皆が振り返り、マリオの日に焼けた肌を見つめる。来月十八歳になるマリオは、すっかり成長し一人前の男の顔つきになっている。身長もずいぶんと伸び、体格もがっしりして頼もしい。

「俺は《守護者》なのに、ルイスを守る気になれない。聞いていた話と違うよ。《守護者》と《薔薇騎士》は固い絆《きずな》で結ばれる、だっけ。悪いけどルイスの声は、まったく心に響かない。ポールは総帥にふさわしくないって言ったけど、そういうことなんだね」

マリオの発言はそこにいた誰もに重くのしかかった。《守護者》が《薔薇騎士》を守りたくないなんて、あるはずのない事例だ。

「でも俺はケイに会った時、一瞬で心が浮き立ったんだ。とても惹かれた。この人のために闘いたい、そう思ったんだ。どうしてそのケイが追放されなきゃならなかったんだ？」

これまでもずっと不満を抱き続けていたように、マリオが訴えた。

「マリオ…。そうだな、確かにそうだ。ケイは…、確かに《薔薇騎士》だった」

遠い記憶を振り返るようにポールが目を細めた。

「ああ、たとえ《不死者》の血を引いていようとも、ケイはれっきとした《薔薇騎士》だ」

バートンも深く頷く。

「俺は次の審問会で、ルイスが総帥にふさわしくないというジャッジが出たと告げる。その時に、ケイには罪はないと皆に進言しよう。追放されたケイを薔薇騎士団に戻すために」

ポールが力強い声で言って、文也の肩に手を置いた。

「フミヤ、君は本当はケイの居所を知っているんじゃないか？　だとしたら戻ってくるよう言ってくれ。この窮状《きゅうじょう》から我々を救ってほしい」

「ポール、啓の居所を一番知りたいのは私だ。だがもし薔薇騎士団に啓が戻れる道を作ってくれるなら、草の根を分けてでも捜し出すよ」

「――あの、私から提案があるのですが」

皆の意見を聞いていたハロルドが、声を落として切り出した。アシュレイたちが視線を向けると、咳払いして話しだす。

「実は私は、ここ数カ月ずっと薔薇騎士団の掟が記された書を読んでいるのですが、中に一つだけこの状況を変えられそうなものを見つけたのです。いわく、メンバー全員の血判状があれば、正規メンバーでも除名できるというものです。これは二代目総帥の時代に決められた掟で、この頃はサブメンバーは存在しませんでした。正規メンバーだけなら血判状を集めるのは可能なのではありませんか？」

ハロルドの見つけた文言は、アシュレイたちに希望をもたらした。だがすぐにそれを成し遂げるのがどれほど困難かも想像できてしまった。

「難しくありませんか？　メリッサはエーメ家の人間だし、カールやダビデも、ルイスの縁戚《えんせき》ですよ。果たして同意するかどうか…」

ルイスはアシュレイたちには過酷な命令を発するが、ベアズリー家とエーメ家は優遇している。刻印を持つからといって、彼らが血判状という重い書状にサインをしてくれるとは思えなかった。

「いや、いい案だ。可能性はないわけではない」

ハロルドの話を聞き、一番目を輝かせたのはバートンだった。身を乗り出し、白い髭《ひげ》を弄《いじ》る。

「困難かもしれないが、いかにルイスが正規メンバーとしてふさわしくないか説いて、私が血判状を集めてみよう、これは私にしかできない仕事だ。正規メンバー全員の血判状というのが肝《きも》だ、一人では危険でも…」

最後までは言わずにバートンは興奮した顔つきになった。一人で意見すれば危険を招くが、全員で言いだせば報復されないのではないかとバートンは考えたのだろう。確かにそういう意味では、いいアイデアだった。いくらルイスでも刻印を持つメンバー全員を殺すわけにはいかない。

「メリッサはなんとしても頷かせる。彼女さえ頷けば、残りのルイスの血族も考えを改めてくれるだろう。ポール、私に少し時間をくれ。君の除名は免《まぬか》れないとしても、より有効にそれを活用しなければならない」

バートンが意気込んで告げ、それから彼は精力的に動き回った。全員の血判状を集めるのに要した月日は、およそ半年間。血判状を携え、次の審問会でポールがルイスに物申すことになった。

――だがそれは叶わぬ夢となった。肝心のポールが失踪し、入り江で死体となって戻ってきたからだ。

血判は集まったが、バートンはタイミングを逸したのを知り、ヴィットリオーザにある自宅の金庫に血判状を隠した。審問会はポールの死で中止され、不穏な空気が流れただけだった。

ポールの死はアシュレイたちに大きなダメージを与えた。さらにポールの部屋には盗聴器が仕掛けられていたのではないかという疑惑にも、アシュレイたちは苦しめられた。バートンの自宅が荒らされ、血判状を入れた金庫が壊されたのだ。むろん中の物はごっそり持っていかれ、血判状は幻のように消えてしまった。

間髪《かんはつ》を容《い》れず、ルイスから新しい命令が公布された。

「今日から、血判状に関する掟を廃止する」

絶望的な知らせだった。新たにまた集めようとするのを、ルイスが阻止したのだ。バートンの自宅を荒らしたのは、ルイスに違いない。おそらく人を使って泥棒まがいの行為をしたのだろう。きっと今頃血判状は灰になっているに違いない。見下げ果てた奴だ。

重苦しい沈黙を守ることがアシュレイたちにできる唯一の抵抗だった。


状況が悪くなる中、クリスマスが近づいた。どんなに暗く閉塞的な気分の時でも、クリスマスが近づくと気分が浮上するのは不思議だ。イブの日、アシュレイは文也と共に車で雄心のアパートメントに向かっていた。


今日は久しぶりのパーティーだ。パーティーという名の秘密の会合をするのもなかなか大変だった。けれどクリスマスに親しい友人同士が集まるのは別におかしなことではない。

エミリーの部屋に盗聴器が仕掛けられていたように、ルイスはアシュレイたちの行動を監視している。あれからマルタ島内の主だったカタコンベは捜しつくした。啓もラウルも手がかりさえ見つけることができずにいたが、今日は各自調べてきた成果を突き合わせ、そのついでにレヴィンの様子も見ておくつもりだった。

運転してきた車を駐車場に停め、花とワイン、クリスマスプレゼントを抱えてラバトの寂れた街を文也と一緒に歩いた。複数の男の足音がしたのは、雄心のアパートメントの前に辿りついた時だ。

「これは…っ」

クリスマスイブということで、完全に油断していた。石造りの雄心のアパートメントの前で、長銃を持った衛士たちに囲まれ、アシュレイは足を止めた。七、八人の衛士たちが、長銃をアシュレイと文也に向け、威《い》嚇《かく》してくる。隣にいる文也の顔も緊張で強張っている。

「そこを、動くな」

　衛士たちの後ろからルイスが出てきて、してやったりとほくそ笑む。ルイスはファーのついた白の長いコートを着て、面白そうにアシュレイたちを睨めつける。

「このアパートに罪人を匿っているという通報があった。調べさせてもらうぞ」

　ルイスは蛇のような目つきで言い放ち、自ら先頭に立ってアパートメントの中に入っていった。ルイスは啓がここに隠れていると誤解している。隠れているのはレヴィンだが、レヴィンの存在がルイスにばれるのはまずかった。どうにかして地下のレヴィンの身体を移動させなければならない。

「お待ちなさい、それは越権行為では？　いくら総帥といえど、勝手に人のアパートに入ることは――」

　衛士たちを押しのけてルイスの肩を摑もうとすると、横にいた男が長銃の柄《え》の部分でアシュレイの頭部を殴った。不意打ちをくらって、アシュレイはその場に膝をつき、後ろにいた文也が駆け寄ってくる。強烈な痛みに身体がぐらついた。

「大丈夫か⁉　アシュレイ！」

「私なら大丈夫です…、ルイス！」

　殴られた場所がずきずきと痛むが、それよりもルイスと衛士がどかどかと中に踏み入っていくほうが気がかりだった。急いで後を追うと、室内からエミリーの癇《かん》癪《しゃく》を起こした声が聞こえてくる。

「失礼な男ね！　パーティーに呼ばれてないのに来るなんて、どれだけ寂しがり屋さんなのかしら！」

「う、うるさい！　誰がお前らなんかと…っ」

　エミリーがルイスと言い争っている声がする。アシュレイは衛士を押しのけて中に入った。

　雄心が居住しているアパートメントの一階のリビングには、すでにクリスマスの用意ができていた。キッチンに立っていたエミリーが、闖入者《ちんにゅうしゃ》に目を吊り上げている。テーブルにはたくさんの食べ物や飲み物が並べられ、小さいがクリスマスツリーも飾られている。兵藤はまだ来ていないのか、室内にいたのは雄心とエミリーの二人だった。

「勝手に部屋の物に触らないでちょうだい！」

「アパート中、くまなく捜せ！」

　ルイスはエミリーを無視して衛士たちに命令している。衛士たちは室内を乱暴な足取りで駆け回り、あらゆる場所を捜し回った。綺麗に整えられている部屋が踏み荒らされていくのを見るのは、精神的に嫌なものだ。ツリーが倒され、ポインセチアの花が踏まれると、ふつふつとした怒りが胸に沸き起こる。

　今は辛抱しなければならない。ルイスたちは地下室の存在に気づいていない。

「クソ…ッ、どこだ！　どこにいるんだ⁉」

　ルイスはヒステリックになり、あちこちを駆けずり回った。カーテンを引きちぎり、地団駄を踏んでいる。

「気がすみましたら、お帰り下さい。総師を呼ぶような大々的なパーティーを開くつもりはありませんので」

　痛む後頭部を摩りながら、アシュレイは慇懃《いんぎん》無礼《ぶれい》にルイスに告げた。ルイスのこめかみが引《ひ》き攣《つ》り、唇がぴくぴくと震える。ルイスは絵画から抜け出てきたような美しい容貌だが、怒るとひどく醜悪な顔になる。

　ふいに衛士の高らかな声が響いた。

「地下室があります！」

　ハッとしてアシュレイが身を強張らせると、ルイスの唇がにやーっとなり、興奮した様子で声のした方向へ走っていく。地下を知られてしまった。アシュレイは万事休すという思いで、焦ってその後ろを追った。

　地下への階段は裏手にあり、そこに回ると衛士たちが並んでいた。ルイスは嬉々として階段を下り、冷たい石の暗い部屋に飛び込んでいく。

　部屋の隅の暗がりに毛布が少し盛り上がった状態で置かれている。ルイスは獲物を見つけた猫みたいに俊敏にそれに飛びついた。

「こんなところにいたのか！」

　らんらんとした目つきで毛布を引き剝がした瞬間、

アシュレイは唇を噛んで、レヴィンの存在がばれるのを覚悟した。レヴィンを奪われたら、かすかに残っていた希望の光がついえてしまう。絶対に渡すわけにはいかない――決意を秘めて身を硬くしたアシュレイは、毛布が取り払われた先にあるものに愕然とした。

「な…っ!?」

正確に言えば、あるべきものが、なかった。

数日前まで、そこには彫像のように動かないレヴィンがいた。だが今は、丸まった毛布が置かれているだけで、レヴィンの姿は見えない。自分の見ているものが信じられなくて、アシュレイは瞬《まばた》きを繰り返した。

(そうか、きっと兵藤が…!)

おそらくあとから到着した兵藤が、この騒ぎに気づき、レヴィンを他の場所に移してくれたのだろう。危ないところだった。

アシュレイは安堵のあまり大きな息を吐き、落ち着きを取り戻して、わなわなと身を震わせるルイスを見やった。

「今度こそ、気がすみましたか？　まだ捜したいなら好きなだけ捜せばいい。なにもありませんがね」

侮蔑的な口調で言ったせいか、ルイスが振り返り、憎々しげにアシュレイを睨みつけてきた。ルイスは当てが外れて、怒り心頭だ。

「お前ら、もっときちんと捜せ！　上の階は見たのか！」

ルイスが衛士たちをどやしつけながら動き回っている。

結局この日三時間にも亘《わた》りルイスと衛士たちの捜索が繰り広げられたが、なんの手柄もないまま帰っていった。よほど腹に据えかねたのか、帰り際に椅子や置物を蹴とばしていった。

「大丈夫ですか！　皆さん！」

ルイスが出ていったのと入れ替わりに兵藤が駆けつけてきた。彼はルイスたちが入っていくのを見て、物陰に隠れていざとなったら助けに入るつもりだったらしい。雄心の部屋は踏み荒らされ、せっかくのご馳走も埃《まこり》まみれで台無しだった。倒れた椅子やツリーを直して、アシュレイは持ってきたワインをテーブルに置いた。

エミリーはすっかり冷えたチキンを運びながら、ルイスに対してまだ毒づいている。雄心はエミリーに手伝わされていたのかエプロンをつけたままで、壊れた瀬戸物を片づけていた。文也はクリスマス休暇中の業者に電話して、壊れたドアを明日の朝一番で直してくれと交渉している。

「雄心、このような事態になってしまって本当に申し訳ない。壊れた物は、私も弁償しますよ。それにしても危ないところでした…」

レヴィンを匿ってくれていた雄心には、ひどいとばっちりだ。申し訳なくてアシュレイは深く頭を下げた。

雄心は軽く首を振り、気にしてないというふうにアシュレイの肩を叩いた。雄心が兵藤に目を向けたので、アシュレイも改めて彼に礼を言った。

「それにしても兵藤、ありがとうございます。レヴィンを移動させてくれたのですね、危ないところでした」

「本当に助かったよ」

アシュレイに続き文也も肩から力を抜き、兵藤をねぎらう。ところが当の兵藤は首をひねり、不思議そうな顔をする。

「私はなにもしていませんぞ。レヴィン殿は皆さんが、あらかじめ移動させていたのではないのですか？」

「えっ⁉」

てっきり兵藤が助けてくれたものと思っていたので、アシュレイたちは呆然としてその場に立ち尽くした。

雄心を振り返ったが、こちらも知らないと言いたげに首を振る。二人が移動させたのではないとしたら、一体誰がレヴィンを？

その問いに答えるように、ふいに窓ガラスがコンコンとノックされた。黒い人影がガラス越しに映り、アシュレイは慌てて窓に走った。

開けた窓ガラスから、意外な人物がするりと入ってくる。

「あの騒ぎはなんだ？　啓はどうしたんだ？」

金髪の怜悧な顔をした男が部屋に立ち、クリスマスディナーが用意されたテーブルを見て戸惑った顔をする。アシュレイは穴が空きそうなほど目の前の男を凝視した。

「レヴィン‼　やっと目覚めたのですか！」

アシュレイの声に弾かれたように、文也やエミリー、雄心、兵藤がレヴィンの周りを囲む。皆口々にレヴィンの帰還を喜んでいた。特に文也は安堵したのかレヴィンを見て何度も「よかった」と頷いている。じっくりレヴィンを見ると、以前とは少し変化していた。どこがどうとはっきり言えないが、確かに見た目が違っている。冴えた眼差しも美しい金髪も変わらないのに、なにかが違う。

「俺は死ななかったのだな？　どれくらい眠っていたんだ…。啓はどこに？」

前髪をかき上げ、レヴィンが眉を顰めて問いかける。

眺めているうちにレヴィンの変化が分かった。以前は病人のように白かったレヴィンの肌に、ほんのりと人間らしい赤みが差しているのだ。アシュレイは思わず「失礼」と告げ、レヴィンの手に触れた。そして、驚いて息を呑んだ。

「――体温がある。これはどういう…」

レヴィンは《不死者》であるから、体温など持たないはずなのに、その肌は触れれば温かい。そういえば以前啓がアダムは体温があると言っていた。《薔薇騎士》の血を多く飲むと《不死者》でも体温が戻ってくるのか。

「起きたら身体が変だ…。俺はますますアダムに近づいているらしい」

自分の腕を擦り、レヴィンが苦しげに呟いた。

「あなたが眠ってから、いろいろなことが起こったのです。とても一言では話せません。まずは座ってください。今日はイブです。乾杯しましょう」

話したいことはたくさんあったが、まずはレヴィンが戻ってきたことを祝いたかった。《守護者》であるレヴィンの強さはアシュレイたちにとって大きな力だ。

「レヴィン殿、目覚めるのが一日遅かったら危なかったですぞ。ルイスに連れていかれなくて本当によかった」

兵藤がしみじみとした口調で言って、レヴィンを座らせる。

「レヴィン、長い話になる。落ち着いて聞いてくれ」

雄心の肩を借りてソファに腰を下ろすと、文也が苦笑してワインが注がれたグラスを受け取った。

「その前に今日の奇跡を祝おう。本当によかった」

各自のグラスにワインを注いで回っているエミリーが、久しぶりに楽しそうな笑い声を立てた。

「今日はクリスマスイブですものね！　奇跡だって起きるわ」

乾杯の合図を終えると、アシュレイはこれまでのことをレヴィンに話し始めた…。


アシュレイたちの話を聞き終えた時、レヴィンはかなりショックを受けていた。顔を強張らせ、啓とラウルが行方不明だという状況を憂えている。薔薇騎士団がルイスにのっとられたというのもレヴィンにとっては心を痛める事実だったらしい。物騒な目で「最悪の場合、俺が奴を消す」と恐ろしい提案までしてきた。憎きアダムと通じているルイスは、もはやレヴィンにとっても敵でしかなかった。刻印を持つ者としてその考えを受け入れるわけにはいかないが、どうにも状況が好転しない場合、それも選択肢の一つかもしれないと考えてしまいそうだ。

レヴィンは啓を捜しだすために独自に動きだした。体温が戻ったレヴィンだが、《不死者》であることには変わりはなく、夜も眠らず動き回れる。

年が明け、四月も半ばを過ぎ、もうすぐ啓とラウルが消えて三年が経とうとしている。三年という長い月日が重くのしかかり、この先の展望を上手く描けなかった。

「総帥からの命令である」

　朝から重苦しい雲が垂れ込めた日、ルイスの親衛隊から命令が伝えられた。アシュレイ、文也、兵藤、エミリー、雄心というメンバーでゴゾ島に現れた《不死者》の調査をしてこいというものだ。啓を慕っていたメンバーで命令をこなせというのは、不審感を抱かせた。総帥の命令では逆らえないが、ひそかにレヴィンに連絡をとった。レヴィンはあいにくとカタコンベに潜っていたので携帯電話が繋がらず、仕方なく留守電に「念のため、護衛に来てくれ」と入れておいた。マリオが一緒に来てくれれば心強かったのだが、儀式を終えて正規メンバーに昇格したマリオは、各地の調査と偽って海外を飛び回っていて連絡がつかない。ポールの死後、マリオはすっかり薔薇騎士団に嫌気が差してしまったのだ。

　船着き場にメンバーが集まったのが、午後一時。誰もが今日の予定をすっぽかしたがっている。

「足の不自由な文也まで連れていけなんて、ありえないでしょ。まさか文也にも闘えと言っているのかしら」

　ローレンスの所有する船に乗り、ゴゾ島に渡る最中、エミリーは不満を訴えた。確かに義足の文也を現場に向かわせるのは、常識として考えられない。湿った風を頬に受け、アシュレイは能力を駆使してゴゾ島に《不死者》がいないかチェックしていた。今のところゴゾ島に問題はない。

「署名を集められなくなったのは、痛いですな」

　甲板に立ち、兵藤が数カ月前の出来事に顔を歪める。バートンの金庫から血判状が奪われた後、バートンはひどく気落ちして急に老け込んでしまった。ポールの死に怯《ひる》まず、血判状を突きつけるべきだったと後悔しているのだ。あなたのせいではないと慰めてみたが、バートンは責任を感じている。

「今頃きっとルイスは薔薇騎士団の掟が書かれた本を、

隅から隅まで熟読しているわよ」

　肩をすくめてエミリーが呟く。

　イムジャール港に着き、ローレンスの寄こしてくれた船長に礼を言ってゴゾ島に降り立った。ゴゾ島はマルタ島のすぐ傍、北西六キロという場所にある島で、マルタよりのどかな雰囲気だ。チタデルの大聖堂やジィガンティーヤの神殿遺跡、ラムラ湾の洞窟《どうくつ》などが有名だが、今日は天気が悪いせいか観光客は少なかった。

「スティーブンのところにあとで寄ってもいいか？　ずっと拒絶されていて会えずにいたが…」

　手配した車の後部席に乗り込みながら、文也が言う。スティーブンは啓の祖父で、元《薔薇騎士》だ。刻印を失った《薔薇騎士》で偏屈な老人だが挨拶《あいさつ》しておきたかった。

「無事調査を終えられたらですけどね」

　運転席に座ったアシュレイは皮肉げに頷いた。助手席に乗ったエミリーは、少し肌寒さを感じて、薄手のカーディガンを羽織《はお》る。後部席に雄心と兵藤が乗ったのを確認して、アシュレイは発車した。

《不死者》らしきものを見たという情報が寄せられたのは、ゴゾ島の南側、タ・チェンチ村のほうだった。観光地から外れた場所にあり、人目につかないという意味では《不死者》が現れてもおかしくはない。

「雨が降らないといいわね」

　車窓を流れる景色を見ながらエミリーが眉を寄せる。タ・チェンチはのどかな村で、人の手が入っていない大地に野生のハーブが群生している。岸壁が連なる場所なので海水浴目当ての観光客に人気はないが、落ち着いた雰囲気があるのでアシュレイは好きだ。

　車が入れない小道に出て、アシュレイたちは一度車から降りて周囲を見渡した。雨雲が近づいていて、視界が悪くなっている。情報を寄せた村人とは、荒れた大地で会った。やけにおどおどした痩せぎすの農夫だった。

「この先のほら穴で、化け物を見かけて…」

　村人が案内した場所の地面は踏み荒らされ、せっかくのハーブも倒れて枯れかけている。人一人がようやく入れそうな洞穴《どうけつ》があるが、草木で隠されて奥はよく見えない。農夫は洞穴を差し示したとたん、みるみるうちに青ざめてアシュレイたちから離れていった。

「お、俺は悪くない、こうしなきゃ家族がやばいんだ……」

もごもごと口ごもり、止める間もなく農夫が去っていった。

その後ろ姿を見ていたエミリーが、ハッとして洞穴を振り返る。

「アシュレイ、《不死者》の足音！　近づいてくる！」

険しい顔つきで叫ぶエミリーの声が終わらぬうちに、洞穴から黒い影が躍り出てきた。ここはただの洞穴ではない、カタコンベに繋がっているのだ。アシュレイはそれに気づき、急いで皆を逃がそうとした。

「文也！」

逃げようとした文也は、義足というのもあってアシュレイたちに遅れを取った。

「私のことは気にするな！　早く逃げろ！」

文也が必死の形相で叫ぶが、置いて逃げるわけにはいかない。肩を貸そうとして文也の傍に駆けつけたアシュレイの目の前に、弾丸のごとき黒い影がぶつかってきた。すごい勢いで跳ね飛ばされ、アシュレイは地面にもんどりうった。

「危ない！」

目眩《めまい》に耐えて起き上がると、文也の首を絞め上げている《不死者》と、雄心を羽交《はが》い絞《じ》めにしている《不死者》が見えた。《不死者》は極端に肌の色が白い以外は、一見人間と同じに見える。眼窩《がんか》が異様に窪《くぼ》んだレベル２の《不死者》――アシュレイは念のために用意していた銃を腰から引き抜き、こちらに襲いかかってこようとする《不死者》に弾を撃ち込んだ。周囲に銃声が響き、迫りくる一体の《不死者》は動きを止めた。だが、その背後からもう一体別の《不死者》が現れてアシュレイの肩に爪を食い込ませる。

「うぐ…っ」

血が飛び散り、アシュレイはとっさに横に駆けだした。視界にはエミリーを襲う《不死者》が過ぎり、さらに兵藤の身体を放り投げている《不死者》も見える。エミリーは銃を持った手首を《不死者》に摑まれ、苦しげにもがいていた。

「クソ…ッ」

目にも止まらぬスピードで襲いかかってくる《不死者》に銃を向けるが、あまりに標的が速く動くので狙いが定まらなかった。そうこうするうちに、先ほど銃で撃った《不死者》が復活し、肩をコキコキ鳴らして迫ってくる。アシュレイは皆を助けるために懸命に抵抗したが、レベル2の《不死者》はアシュレイたちのように普通の力しか持たない者では到底敵わない。

(こんな場所にカタコンベがあったなんて!)

ゴゾ島に来てから《不死者》の影には注意していたのに、まさかこんなところにカタコンベがあるなんて想定外だった。カタコンベにいる《不死者》は見分けにくい。ここに誘導するようあの農夫に指示したのはルイスだろう。邪魔なアシュレイたちを《不死者》に片づけさせるつもりなのだ。

「う…っ」

銃を持つ手を蹴り飛ばされて、気がつけば地面にどうっと倒されていた。アシュレイの身体の上にのしかかり、貧相な顔をした《不死者》がアシュレイの髪を乱暴に引っ摑んだ。

「ハロー、薔薇騎士団の精鋭たちよ。俺たちに血を分け与えてくれる総帥に感謝したまえ」

残酷な顔で《不死者》が笑い、アシュレイの頭を摑んだまま軽く持ち上げる。次には激しい力で頭を地面に打ちつけられ、アシュレイはくらりとして意識を失いかけた。眼鏡がずれて、視界がぼやける。

(こんなふうに私たちは死んでいくのか…)

何度も頭を打ちつけられ、朦朧《もうろう》とする中、アシュレイは己の人生が閉じてゆくのを感じた。遅くなろうともレヴィンと一緒に来るべきだった。エミリーや文也、雄心、兵藤は無事だろうか。ぐらぐらする頭ではもう抵抗することさえできなくて、アシュレイは苦しげに血を吐いた。舌を噛んでしまったらしい。

「さぁて、それじゃ血を…」

アシュレイの抵抗がやんだのを見て取って、《不死者》が舌なめずりをする。

――その時だ。

周囲から、野太い悲鳴が聞こえてきた。

「ぐがあああ!!」

仲間のものではない悲鳴に、アシュレイは途切れかけた意識を懸命に取り戻した。男の叫び声を聞き、アシュレイにのしかかっていた《不死者》が、いぶかしげに振り返ろうとする。

その瞬間、不思議な出来事が起きた。

急に身体を押さえつけていた力がなくなり、目の前にぱらぱらとした砂のようなものが舞い散ったのだ。いや、よく見ると砂ではない。もっと軽い――そう、喩《たと》えていえば灰のような…。

「アシュレイ、生きてるか!」

どこか懐かしい――聞き覚えのある声がアシュレイの耳をくすぐる。自分の聞いたものが信じられなくて、アシュレイはぐらつく頭で、急いでずれた眼鏡をかけ直した。起き上がったとたん犬の鳴き声が聞こえて、《不死者》の足首に黒いドーベルマン・ピンシャーが噛みつくのが見える。まさか、あれは――。

眼前に、夢のような光景が広がっていた。黒いフードを被った男が、文也の首を摑んでいる《不死者》に素早く剣を振りかざす。手品のように、剣先から《不死者》が灰になっていった。

わずかな時間で、男は次々と《不死者》を始末していく。まるで殺陣《たて》を見ているみたいによどみなく、無駄がない動きだ。アシュレイは自分がどこにいるか、なにをしているかも忘れてそれに見惚《みと》れた。

「ひぎぃぃ…」

悲鳴は最後まで発されることはなく、《不死者》が灰となって風に流れていく。黒いドーベルマン・ピンシャーは噛んでいた肉体が灰となって消え、気持ち悪そうにげふげふとなにか吐き出している。灰を吸ってしまったのかもしれない。

六体いた《不死者》は一体残らず灰となって地面に積もっていた。アシュレイは自分が見ているものが現実か分からず、全身を震わせながらフードの男を凝視した。それは傷を負って地面に倒れている文也もエミリーも雄心も兵藤も同じだった。

「――皆、大丈夫か？　あぶねー。間に合ってよかった」

フードを下ろして、青年がホッとした顔で笑う。アシュレイは息を呑み、瞬間的に痛みを忘れて駆け寄った。整った甘い顔に、黒い髪と瞳、顔は少し大人びている――けれど、間違えるはずがない、この三年間捜し続けた人物だ。

「啓!!」

青年の名前を皆で一斉に呼ぶ。啓は《不死者》を灰にした剣を鞘にしまい、目を細めて頷いた。サンダーが誇らしげに啓の隣に駆け寄り、顎を上げてアシュレイたちを見る。

「久しぶり…皆、無事で安心した！」

待ち望んだ《薔薇騎士》にアシュレイは涙腺が弛んだ。なにもかもがぼやけて見えて仕方なかった。

Ⅱ　試練の間

久しぶりに見た仲間たちの顔は、どれも懐《なつ》かしく、啓《けい》は満面の笑みを浮かべた。

《不死者《アンデッド》》に傷を負わされて誰もがぼろぼろなのに、駆け寄ってきて啓に抱きついてくる。

「啓…っ」

最初に抱きついてきたのは、すごい勢いで駆けてきた雄心《ゆうしん》だった。あいかわらずロボットみたいに無表情なくせに、啓の息が苦しくなるくらいぎゅうぎゅう抱きしめてくる。雄心の声は、いくつもの声を重ねたような不思議な声だ。雄心が《不死者》に触れて問いかけると、《不死者》はどんなことも喋《しゃべ》ってしまう力を持っている。

「啓！　本当にあなたですか！　ずっと捜していたんですよ！」

次に抱きついてきたのはアシュレイだった。《神の眼《ゴッドアイ》》を持つアシュレイは、多分今年二十九歳になったはずだ。外見は三年前とほとんど変わらず、今はこめかみと口元から血を流し、ヒビの入った眼鏡《めがね》で啓を強く見つめている。アシュレイは目が潤んでいて、それを見たら啓も少しもらい泣きしてしまった。

「啓、生きていたんだな…っ、ほ、本当によかった…」

続いて《判断する者《ジャッジメント》》であり、父親代わりに啓を育ててくれた文也《ふみや》が、よろめきながら肩を抱いてきた。文也は《不死者》に首を絞められていたせいか、声がかすれている。雄心がずっと抱きついたままだったので、啓は空いている右手で文也の背中を抱く。文也はしわが増えたかもしれない。以前といくぶん目線が違うのは、きっと啓自身の身長が伸びたせいだろう。

「啓！　あなたがいなくなって、私たちは大変だったのよ！　もう信じられないわ!!」

エミリーは《不死者》に襲われて、服に泥や草木がくっついている。《天使の耳《エンジェルイヤー》》であるエミリーは相変わらず美人で、センスのいい服を着ている。汚されたのが気の毒だった。エミリーは珍しく泣きそうな顔でいきなり啓の両頬を抱えたかと思うと、熱いキスをしてきた。

「わぁ…っ！」

突然のキスにびっくりして赤面すると、エミリーが目元を拭《ぬぐ》って「お仕置きよ」と笑う。

「啓殿！　無事でよかった、あなたに再び会えると信じておりましたぞ」

最後に柔和な笑顔で《癒す者《ヒーラー》》である兵藤《ひょうどう》が啓の肩を抱いてきた。今日もつるりとした頭に和装の出で立ちで、全然変わってない。ようやく雄心が身体を離してくれたので、啓は改めて皆を見つめた。信頼できる啓の仲間たち。話したいことや聞きたいことは山ほどあった。とはいえ、ここでそれを始めるのは少々まずい。

「ともかく移動しよう。皆に頼みがあるし、それに怪《け》我《が》の治療もしないと」

全員《不死者》にやられて、あちこち傷を負っている。《不死者》の怪我を治療できる兵藤に、どこか落ち着ける場所で治療してほしかった。啓が歩きだすと、足元にいたサンダーが高らかに吠《ほ》えてついてきた。

「どこへ行くのですか？」

《不死者》が出てきた洞穴《どうけつ》に向かう啓を見て、アシュレイが驚いて止めようとする。啓は安心させるように笑って、顎《あご》をしゃくった。

「大丈夫。もう中に《不死者》はいないよ。…俺の右手が反応してない。この洞穴は小さな地下墳墓《カタコンベ》になっていて、人目につかなくていいんだ」

促すように啓が洞穴の中に入ると、ややあってアシュレイたちがついてきた。入り口はそれほど大きくなく、背を屈《かが》めて入らねばならない。外の明かりはわずか数メートルで途絶え、啓はポケットから懐中電灯を取り出して内部を照らした。

「あなたに聞きたいことがたくさんあるのよ、でもそれはあとでね。あつつ…、もうボロボロよ」

エミリーが痛みを思い出したのか顔を顰《しか》めて足を進める。アシュレイもポケットからハンカチを取り出してこめかみの血を拭った。

「大丈夫ですか？　すぐに治療しますぞ」

兵藤が歩きながら、ひょこひょこと足を庇って歩くエミリーに言う。兵藤は全員の怪我の具合を見て、誰から治療していくか決めている。

五分ほど歩いたところで、いくぶん開けた場所に出た。石棺が無造作に並んだ場所だ。ここなら大丈夫だと啓が腰を落ち着けると、兵藤がアシュレイから順番に治療を始めていった。

「啓、聞かせてくれ。この三年間、お前はどうしていたんだ？」

汚れるのも気にせず、文也は痛む身体を地面に下ろして性急に尋ねてきた。啓はこの三年間――――ラウルと別れてからの月日を思い返し、つい目を伏せてしまった。懐中電灯の明かりくらいでは洞穴内部を照らせないから、多少暗い顔をしていても皆には気づかれないだろう。

「俺のことより、皆はどうなってるんだ？　なんでここに？　あいつら皆を狙ってたみたいだけど」

自分のことよりも文也やアシュレイ、エミリー、雄心、兵藤の事情が聞きたかった。ルイスが薔薇騎士団《ばらきしだん》の総帥になったと聞いた。この三年間世話になっている祖父のスティーブンは、サブメンバーとして名前を連ねているものの、ほとんど薔薇騎士団の集まりには参加していないので、詳しい現状を知りたかった。

「薔薇騎士団は今、未曾有《みぞう》の危機にさらされているのです」

強張った顔つきでアシュレイが重苦しい声を上げた。ポールやオルテンシアが亡くなったことと関係があるのだろうか。

「まずはお前がいなくなってからの話をしよう…」

文也が嘆かわしげに首を振り、長い話を始めた。この三年間、薔薇騎士団でルイスが行った数々の仕打ちはどれも啓の胸を痛め、憤《いきどお》らせた。特にシスターアンジーやオルテンシア、ポールといった人々が《不死者》にされたという話は、これ以上聞きたくないと遮《さえぎ》りたくなるようなものだった。ルイスが《不死者》と手を組んでいるのは、薔薇騎士団を追放された日に啓の前にアダムが現れたことで明白だ。ルイスが自分を捜し続けているのはスティーブンから聞いて知っていた。自分の血が《不死者》を灰にできることも。

それからレヴィンが目覚めたという話は、啓にとって心臓を鷲《わし》摑《づか》みにされるものだった。

動揺したのが伝わったのか、アシュレイがレヴィンに連絡を取ろうと主張した。

「待ってくれ、いいんだ。呼ばないでくれ」

思わずアシュレイを止めて、啓はうつむいて首を振った。

「会いたくないのですか？　レヴィンはあなたを捜しています」

いぶかしむようにアシュレイに聞かれ、啓は黙って首を横に振った。会いたくないかと問われれば会いたいに決まっている。レヴィンが目覚めたと知って涙が出そうなほど嬉しかった。だけど今は踏ん切りがつかない。自分には会う資格がない。

「啓…。今度はお前の番だ、今までどうしていたか聞かせてくれ」

文也が真面目な顔つきで問いかけてくる。兵藤の治療は薔薇騎士団の内情を語り終えるまでにすんでいた。エミリーは兵藤が念のため用意してきた湿布で足を冷やしている。

「俺は…あの日ラウルと共に逃げ出して、入り江のところでラウルに海へ逃がされた。アダムが俺を捕まえに来ていて、ラウルは…俺を助けるためにアダムを足止めしたんだ」

あの日のことを思い出すのはまだ苦しい。平静にはなれなくて、啓は語尾を震わせて視線を落とした。暗く湿った洞穴内に自分の声が反響する。

「海面を漂っていたら、ボートが近づいてきて助けられた。……母さんだった」

啓の言葉にアシュレイがひどく驚いて身を反らした。

「まさか！　あんなに若い女性が？　あれがマリアだったというのですか!?」

アシュレイは能力を使って啓とマリアがボートでマルタ島を離れるのを見ていたらしい。啓がこくりと頷くと、唖然とする。それは文也も同じで、顔を強張らせ、啓を食い入るように見ている。

「……、やはり生きていたのか」

「母さんはアダムの血を濃く受け継いで、外見があまり老いないって嘆いてた。俺は孫だからかな、今のところ成長が止まった感じはしないけど」

啓が小声で告げると、エミリーが痛みに顔を顰《しか》めながらもウインクしてきた。

「心配いらないわ。いい男に成長しているわよ」

「それはどうも」

エミリーの軽口に少し笑い、啓は目を細めた。三年前に比べ、啓は面立ちもすっかり大人のそれに変わり、身長も伸びた。髪は以前は染めないと赤茶けた色で困ったものだが、いつしか母のような黒髪になっていた。

「それからずっとじいちゃんのとこに匿《かくま》われてる」

啓が祖父であるスティーブンのところにいたというのは、誰にとっても驚きだったらしい。特に文也はどうして教えてくれなかったのかと不満を露《あらわ》にした。文也は何度か電話でスティーブンとやり取りをしていたようだ。信頼されていなかったのかと思い、落ち込んだ。

「匿われているっていっても、俺がいたのはじいちゃんちの地下から繋《つな》がってるカタコンベなんだ。ルイスが俺を捜していたから、表だって動けなくて…。それに……俺にはやらなければならないことがあった」

啓は三年前を振り返ってぽつぽつと話し始めた。

三年前――。

ラウルと薔薇騎士団を逃げ出し、マルタ島から出ようとした矢先、啓たちの前にアダムが立ちはだかった。ラウルは啓を逃がすため、自分はその場に残り、啓を海に放り投げた。海面を漂っていた啓を助けたのは、初めて会う母親のマリアだった。なにがなんだか分からないまま、啓はマリアのボートに乗せられた後、意識を失った。

目覚めた時は暗い地下にいて、傍には愛犬のサンダーしかいない。突然見知らぬ真っ暗な場所に連れてこられて事態が呑み込めずにいると、祖父のスティーブンが車椅子で現れた。啓はまだ身体が重くて、膝をついたままでスティーブンと初めて顔を合わせた。

「は、間抜けな面をしておるわ」

スティーブンは啓を頭から爪先までじろじろと眺め、唇を捻《ね》じ曲《ま》げて吐き捨てた。最初から一癖も二癖もありそうな老人だった。厳《いか》めしい顔をして、初めて孫に会ったというのに笑顔の一つも見せない。だが本気で啓を嫌っているわけではないのは分かった。上手く言えないが、スティーブンはそういう人間なのだと思った。

「お前の行方をルイスが捜しておる。ここはカタコンベの一つだ――能力者でも、お前がここにいることは見破れまい」

スティーブンの声と共にランプに火が灯され、周囲の状況が見えてきた。石造りの部屋に啓はいた。肌寒く、少し埃《ほこり》っぽい。ランプの明かりはぼんやりとしか内部の状況を見せてくれないが、奥に石造りの廊下が繋がっているのが見えた。

「ラウルは…ッ⁉　俺、それに母さんと…っ」

意識を失う前に起きた出来事を思い出し、啓は叫んだ。

ふいに右手が熱くなった――と思う間もなく、スティーブンの脇に、腰を屈めた老婆《ろうば》が現れる。

「ひっ」

老婆が《不死者》であることはすぐに分かった。サンダーは唸《うな》り声《ごえ》を上げて老婆を威嚇《いかく》している。みすぼらしいマントをまとった老婆は、フードからしわくちゃの顔をわずかに覗かせて啓に笑いかけた。

「すべて存じておりますよ。――これからお前が進むべき道もね」

　意味深に老婆が囁《ささや》き、啓は息を呑んで身を硬くした。

とっさに敵かと思い身構えたが、それを制するようにスティーブンが手を上げる。目の前にいるのは確かに《不死者》だが、スティーブンは闘う必要はないと告げる。

「そうおっかない顔をしないでおくれ。まだ私は灰になるわけにはいかんのでね」

　くくくと咽《のど》の奥で笑い、老婆が音も立てず忍び寄ってくる。何故祖父が《不死者》と一緒にいるのか分からなくて啓が呆然としていると、スティーブンの背後からさらに黒髪の女性が現れた。白い肌に扇情的なまでに赤い唇、憂《うれ》いを帯びた瞳――啓の母親であるマリアだ。この人たちは、足音がしないから心臓に悪い。

「な、なんで…？」

　三人の顔を見て啓が理解できずに問うと、スティーブンが意地の悪い笑みを浮かべた。

「そう不思議がるものではないぞ。義理の娘とわしたちのご先祖様だ。一緒にいてもなんらおかしなことはない」

「いや、おかしいだろっ」

　つい突っ込んでしまったが、スティーブンの言葉で老婆がクロフォード家の血筋の者だと分かった。

「スティーブンよ、順を追って説明してやらんかね。まずは――」

「俺、ラウルを助けに行かなきゃ…」

　老婆の声を遮って、啓は悲痛な声を上げた。《守護者《ガーディアン》》であるラウルは、啓を助けるために身を挺《てい》してアダムを足止めしてくれたのだ。すぐにでも捜して助けなければならない。

「助けてくれてありがと、でも俺はラウルを捜しに行かなきゃならないんだ！　ラウルは俺を助けるためにアダムを足止めして…っ。ラウルが無事だと信じたいけど…っ」

　ラウルのことを思うといてもたってもいられなくなり、啓は涙ぐんだ。ラウルはアダムに捕まってしまったのだろうか。殺されたりはしてないと信じたい。

「残念ながら、お前さんは三年後まで赤毛と会うことは叶わぬであろう」

　不気味な宣告をされ、啓は気色ばんで立ち上がった。

「どういうことだよ⁉　三年って…っ、そんなに待てるかよ！　やっぱりラウルはアダムに捕まったのか？　だとしたら三年も会わずにいたら…っ」

　その先は想像したくなくて、啓は唇を噛んだ。

「待てなくともお前さんが会える可能性はゼロじゃ。なに、幸いなことに三年以内に赤毛が死ぬ未来はまだ視《み》えんわい。《不死者》になる可能性はあるがね」

「な…っ」

　先ほどから老婆が発する言葉は、異様で、胸を騒がせるものだった。まるで未来が視えているかのような…。そんな馬鹿な話はあるわけない。啓は疑うように老婆を見据《みす》え、目の前の《不死者》が自分になにを言おうとしているのか探ろうとした。

「私の名はアデラ・クロフォード。お前にとっては、そうさな…曾曾曾《ひいひいひい》…まぁ、面倒だから曾ばあちゃんとでも思っておけばいい」

　老婆は名乗り、フードを下ろした。真っ白い髪を頭の上のほうでまとめ、小柄な身体で啓をみつめる。

「何代前のご先祖様だよ…？」

　呆気にとられて啓が聞き返すと、アデラはしわくちゃの顔で笑い、杖をついて啓の傍に近づいてきた。石床に杖をつく音がコツコツと響く。アデラが何代前の先祖か分からないが、相当長い年月を生きているのは間違いない。

「私の若かりし頃の姿が知りたければ、スティーブンの屋敷の広間に行くといい。私も若い頃はなかなかの器量よしでな」

　アデラが目の前に立ち、啓は驚いてその額を凝視した。アデラの額に薔薇の刻印がある。赤く痣《あざ》のような薔薇模様は、アデラが薔薇騎士団の一員だった証拠だ。

「気づいたかね？　これは私が薔薇騎士団の正規メンバーだった証《あかし》。なんの因果か《不死者》になった今もこうして残っておる」

「で、でも額…？　額に刻印なんて、聞いたこと…」

頭が混乱して啓は声を落とした。刻印は能力に関係した場所に出ると思っていたが、額にあるのはどういう能力を持つのだろう？　《神の眼》を持つアシュレイはこめかみに刻印があったが、アデラのそれは額の中央にある。

「私の能力は《先視の声《ヴォイス》》…今は存在しないようだね。《悪魔の告白《デモンズトーク》》と同じくらい稀少な能力じゃよ。未来を視る力を持っておる」

「未来を⁉」

啓はびっくりして大きな声を上げた。未来が視えるなんて、どこぞのインチキ占い師みたいだが、本当だろうか？　刻印を持つ者の不思議な能力は多々見てきたが、未来が視えるなんてとても信じられなかった。

「未来というのは一つではない。いくつもに枝分かれしたものがあり、どれを選ぶかは本人次第。とはいえ、決められた未来もある。私はお前があの日、あの時刻に海に落ちることが分かっていた。だからマリアをあの場所に行かせ、お前を助け出したのだ」

「え…っ⁉」

ぎょっとしてマリアを振り返ると、静かに頷かれる。そんなことがありえるのだろうか。だとしたら啓の未来は決まっていたということなのか。あそこでアダムに待ち伏せされ、ラウルを失うことも。もし本当なら、この老婆にはすべてが分かっていることになる。

「み、未来が視えるならさ、ラウルがどうなっているのか教えてくれよ！　そういうのも分かるんだろ⁉」

アデラの腕を摑み、必死の形相で訴えた。信じたわけではないが、能力者である以上、なにがしかの力はあるはずだ。それでラウルの居場所が分かるなら、インチキ占い師でも構わない。

「視えているが、それを今お前に教えるわけにはいかない」

「なんで！」

「もし教えれば、お前は後先顧《かえり》みず飛び出した挙げ句、あの方――アダムに捕らえられ、刻印を奪われる。私にはその未来が視える」

　どきりとして啓はアデラから手を離し、油断なく見返した。確かにラウルの居場所が分かったら、すぐにここから出ていくつもりだった。アデラの言う通り啓一人でラウルを助けに行っても、そういう結末しか訪れないかもしれない。認めたくないが啓は非力で、今はレヴィンという頼りになる《守護者》もいない。

「ふふ…。そうそう諦《あきら》めが肝心じゃ。お前さんが今諦めたから、その未来は消え去った」

　啓の顔を見て楽しそうにアデラが笑う。

「いいかね、ケイ。我々がしようとしているのは、チェスマスターに初心者が挑むようなもの。一手でも打ち間違えれば、すべては水泡に帰す。お前は生まれた時、ただの歩兵《ポーン》だった。それが一人の男の愛の力で騎士《ナイト》に変わった。ナイトになったお前は王《キング》にチェックメイトを言い渡さねばならない。私が言っている意味が分かるかね？」

　アデラの言っている意味は抽象的で分かりづらかったが、言わんとするところは伝わった。

「アダムを倒すってことだろ…？　チェスは簡単なルールしか知らないけど…、俺ってポーンだったの？　俺をナイトにしたってどういう意味？」

《薔薇騎士《ローズナイト》》として生まれてきたのに、ポーン呼ばわりされるのは納得いかなかった。声に不満が出てしまったのか、アデラが愉快そうに笑う。

「ポーンは嫌かね。だがお前は、儀式を迎える前に死ぬ運命にあった。お前が今もこうして生きているのは、……お前の父親であるエリックが、お前の命を守ったからに他ならない」

　アデラの口から意外な事実が明かされた瞬間、わけもなく咽がひりひりして息が詰まった。何故かは分からないが、アデラの言葉が真実だと感じられたのだ。

父が自分の命を守った——考えてみればおかしな話だ。父は啓が生まれた後すぐ亡くなっているというのに。

「私の言葉にお前の魂が共感しているだろう？　お前は特別な子だ。理屈では納得いかなくても、真実に出会えば魂で理解できる。さて、長い話になる。少し腰を落ち着けるとしよう」

アデラが軽く顎《あご》をしゃくり、先に立って歩き始めた。啓は戸惑いながらもアデラの後ろについて歩いた。スティーブンとマリアも続いて歩を進める。

石でできたアーチ状の間仕切りを通りすぎると、人が住めるような空間が現れた。硬いが寝床もあり、テーブルや椅子もある。地下ということと石造りということでひんやりとして肌寒いが、マリアがもう一つのランプに火を灯してくれて、周囲がぼんやり浮かび上がった。よく見れば自分は見慣れぬシャツにズボンを穿《は》いている。海に落ちて濡れたから誰かが着替えさせてくれたのかもしれない。啓はちらりとマリアを見た。

「まずはお前さんが赤毛を気にするから、その話からしようかの」

アデラが額に触れながら低い声を出す。啓はごくりと唾を飲み込み、アデラを見た。

「……赤毛はルイスに捕らえられておる。とある大きなカタコンベの奥に鎖で繋がれておるわ。不憫《ふびん》な若者よ、あの方に少しずつ血を奪われておる。だが矜持《きょうじ》は失っておらぬ。赤毛にとっては、お前が無事でいることがなにより大切なことだからのう」

胸が締めつけられるように痛くなり、啓は硬いテーブルを拳《こぶし》で叩いた。

「なんでこんなことになるんだ！　ルイスはどうして俺を捕まえようとしているんだ⁉　アダムと手を組んでいたのか？」

「お前の血には秘密がある」

車椅子に乗ったままテーブルについたスティーブンは、厳《いか》めしい表情を崩しもせず告げた。

「《不死者》の始祖となったアダムの血を引くお前の

血を飲めば、《不死者》は死に近い眠りを強いられる。詳しくはまだ分かっておらんがな、お前の血は《不死者》にとっては毒同然だ。まったく息子の嫁がアダムの娘だったなど、とんでもない話だな！　おまけにいつまでも若いままとは。つくづく生の理《ことわり》から外れた者たちよ」

「申し訳ありません、お義父様《とうさま》」

ちっとも申し訳ないと思ってない顔でマリアが呟く。マリアは水差しの中の液体をコップに注いで、啓とスティーブンの前にそっと置いた。透明だから多分水だろうが、飲む気になれなくて手は出さなかった。

「俺の血を飲んだレヴィンが動かなくなったから知っている…」

レヴィンを思い出して啓が告げると、マリアのこめかみがぴくりと引《ひ》き攣《つ》った。なんとなく意外に感じたのだが、マリアはレヴィンの名前を聞き、レヴィンと似たような反応を示した。憎々しげに瞳に炎を揺らめかせて、閉じた手に一瞬力を込める。マリアは口に出さないが、レヴィンを嫌っているようだ。

「レヴィンはどうなんだ？　レヴィンは目覚めるんだよな？」

アデラならレヴィンのことが分かるかもと思い、啓はわらにもすがる思いで尋ねた。

「レヴィンか…。あやつも憐《あわ》れな男よ。死んだ後まで働かされて、過去の約束に囚われておる。……レヴィンが次に目覚めるのは二、三年後じゃ。お前は今、《守護者》の力を当てにせず、一人で闘わねばならぬ時期なのよ」

レヴィンがいずれ目覚めると教えてもらったのは嬉しかったが、二、三年後と言われて絶望的な気分になった。それにもまして一人で闘わねばならないというのは、心細く不安な宣託《せんたく》だった。いつの間にか自分は、レヴィンやラウルといった常人を超えた力を持つ男たちを当てにしていたことに気づかされた。

「ルイスは偽の《薔薇騎士》よ」

さらにそっけない声でスティーブンから衝撃の事実

を明かされ、啓は驚愕《きょうがく》した。ルイスが偽物――だとしたら、ルイスは啓たちを騙《だま》して、薔薇騎士団の正規メンバーの座に納まったというのか。

「で、でも儀式を…っ」

「お前の血でも盗んで、《不死者》を灰にしたのだろう。我が孫ながらなんたる間抜け、お前の目は節穴だ、ルイスに会った時にでも、この偽物が！　と一喝してやればよかったのに」

苛々とした様子でスティーブンに詰《なじ》られて、啓はうろたえて眉を寄せた。なんだか今回こうなってしまったのは啓の責任だとでも言われているみたいで、苛立ちが生まれる。啓だってルイスが偽物だと知っていれば、それなりの手は打った。だが啓は《薔薇騎士》といえばアダムやパトリックくらいしか会ったこともなく、本物か偽物かの違いなど分かるはずもない。

「そんなこと言ったって、俺《薔薇騎士》の見分け方なんて知らないし…っ、じいちゃんが出てきて言えばよかったじゃないか！」

啓が逆に怒鳴り返すと、むっとしてスティーブンがテーブルを叩く。

「わしはもう《薔薇騎士》ではない。わしの意見など通るはずがないわ…っ、お前がそんな間抜け面をしているのが悪いっ」

スティーブンは間抜け面とうるさいが、啓は父親似で、父とスティーブンも面立ちが似ている。理不尽な詰られ方をして啓が呆れていると、アデラがおかしそうに笑って啓たちを見つめてきた。

「スティーブンは孫に会えて浮かれておるのう。まぁルイスのことは仕方ない、ルイスを操っているのはあの方…アダムじゃ。あの方は薔薇騎士団を内部から壊滅させるために、ルイスという危険分子を育ててきた」

スティーブンが浮かれているとは思えなかったが、それよりもアデラの発言のほうが気になり啓は顔を歪めた。

「薔薇騎士団を内部から壊す…？」

アデラの言い分を聞き、祖母の家でアダムと会った時のことを思い出したのだ。アダムはこう言っていた。今の薔薇騎士団は腐りかけている、と。

　まさかアダムは腐った薔薇騎士団に嫌気が差し、内部分裂を狙っているのか。

「あの方の気まぐれだろうがね」

　アデラが困った顔で呟く。先ほどからアデラはアダムを「あの方」と呼ぶ。それはまるで敬愛する相手のように感じられて引っかかった。

「なんでアデラばあちゃんは、アダムをあの方呼ばわりするんだよ。《不死者》だからアダムの味方なのか？」

　不満げに啓が問うと、アデラは苦笑してゆるく首を振った。

「私は誰の味方でもない。けれどあの方はかつての私にとって尊敬する初代総帥じゃった。その時の癖が抜けんでな…能力を惜しむあの方によって私は《不死者》にされた。もっとも私が未来をすべて明かさないのを知ると追い払われたがね。あの方の恐ろしいところは、誰にもなにも強制しないこと。けれどいずれ従うように仕向けられる…」

　アデラは目を細め、親しい知人について話すかのような口ぶりでアダムを語った。アデラは誰の味方でもないというが、こうして啓を助けてくれた。それに母や祖父と共にいる。

「誰の味方でもないのに、どうして俺を…？」

　助けてくれたのは有り難いが、親族とはいえこれまで会ったこともない三人が啓を匿うのは不自然な気がした。確かにマリアとスティーブンは血縁関係にあるが、だとしても今まで手紙一つ寄こさなかったのに。

「そう、大切なことだからそこを話さねばならないね」

　アデラは深く頷いて、なにもかもを見通す瞳で啓を見つめた。アデラの瞳は翡翠《ひすい》と同じ色だった。

「それはお前が、唯一あの方を滅ぼす可能性を秘めた子だからさ。――運命の輪から外れたケイ・クロフォード。お前が本気であの方を倒すつもりなら、我々が手助けしよう」

鋭い声音は啓の胸を貫いた。ぴしりと空気が凍りつき、マリアとスティーブンの視線が啓に注がれる。啓は目を見開いて三人を見つめ返した。


現状を説明された啓は、このカタコンベに隠れ住むようになった。

カタコンベはクロフォード家の地下から繋がった異空間だ。このカタコンベには大きな秘密があるとアデラは言う。おいおい分かると言われ、疲れ切っていた啓は深くは問わなかった。啓としては敵に捕まっているラウルが気がかりで、他のことは考えられなかったのもある。こうしている間にもラウルは血を吸われ、アデラの言う通り《不死者》になる可能性がある。アデラにはいくつかの未来が視えていて、人々の選択により最終的にくっきりとした現実が浮かぶという。今すぐにでもラウルを助けに行きたかったが、アデラはそれは遠回りの道だと断言した。

「赤毛を助けたくば、あの方と闘える力を手に入れよ」

アデラに諭されたものの、まだアデラの力について半信半疑だった啓は、何度かカタコンベを抜け出してラウルを捜しに行こうとした。ところがいつ出ていこうとしても、必ずアデラが先回りして啓を嘲笑う。啓のいるカタコンベには出口がいくつかあって、確率的にいえばアデラが百パーセント分かるのはおかしい。何度出し抜こうとしてもアデラは先回りし、まず力を手に入れろと言い続けた。

アダムを倒すこと自体に異論はない。だが今はアダムよりもラウルが気がかりだった。自分のためにという悔恨の思いが強かったし、レヴィンを自分のせいで眠らせてしまった上に、ラウルまで《不死者》にされたらどうすればいいか分からない。ラウルが人間でいるうちに、なんとしても助け出さなければならないのだ。

　ある日、いつものように先回りしていたアデラが、やれやれという顔で啓を解放してくれた。啓はカタコンベを飛び出し、ラウルを捜すために駆けた。

　けれどここはゴゾ島で、啓にとっては見知らぬ土地だ。どこをどう行けばいいのか皆目見当もつかないし、言葉は通じてもラウルが捕らえられているカタコンベがどこだかさっぱり分からない。おまけに駆けずり回っている間に、啓を捜している衛士《えじ》たちの姿を見つけてしまった。彼らは教会の戸を叩き、この男を見かけなかったかと啓の写真を手に聞き回っている。彼らの会話を盗み聞いているうちに、ルイスが総帥になったのを知った。

　結局、啓はスティーブンの屋敷の地下に戻り、失意にうなだれるしかなかった。アシュレイたちに連絡をとろうかとも思ったが、彼らには監視がついているだろう。それに薔薇騎士団を追放された啓を助けるのは、彼らを危険にさらすことになる。

　絶望的な気分で地下に閉じこもっていると、暗い考えしか浮かんでこなくて困った。ラウルまでが《不死者》になってしまったら、いつか啓は二人を殺さなくてはならないのだろうか。想像するだけで涙がこぼれ、未来に希望を抱けなかった。

　憂鬱《ゆううつ》な日々を送る啓にとって、サンダーが唯一の慰めだった。最初の日に地下に来たスティーブンとマリアは、あれ以来まったく顔を見せなくなった。いろいろ聞きたいこともあったのに、スティーブンは屋敷に顔を出すと、ルイスに居場所がばれるといって、啓がカタコンベから出ることを禁じた。日の光を浴びなくなると、余計に気が滅入った。気のせいかサンダーも落ち着かなくなり、空気がぎすぎすしてくる。

「そろそろ動く気になったかね」

　薔薇騎士団を追放され、無為に過ごして一カ月が経つ頃、アデラがやってきて杖で啓の足を軽く叩いた。

「……アダムと闘える力って、どうやって手に入れるの？」

硬いベッドに腰を下ろしていた啓は、途方に暮れた顔でアデラに問いかけた。スプリングのまったく利かないベッドには三日で慣れた。どんな場所でも眠れるのは啓のとりえの一つだ。

「本当にそんなことでラウルを救える？　こうしている間にも《不死者》になっているかもしれないのに？　俺……、ルイスが偽物だろうと、アダムが薔薇騎士団を壊そうと、本当のところはどうでもいいのかもしれない……。俺はまだ薔薇騎士団に入って日も浅いし、命をかけるほど忠誠を誓っているわけでもない。でも――ラウルが俺のせいで死んだり、《不死者》になったりするのは、絶対に嫌なんだ。だって全部俺のせいだろ…？　ラウルは俺と関わらなければ、きっと…」

鬱々と日々を過ごしている間、目を背けていた事実に啓は気づいてしまった。

自分と関わると、大切な人が死んでいく。

死なないまでも、大きな怪我を負ってしまう。

スコットや昇《のぼる》、南条《なんじょう》や南条の両親、シスターヴェロニカ…皆、啓と関わったために死んでいった。それだけではない、キャサリンや、赤子の啓を日本に逃がすために死んでいった名前さえ知らないメンバーたち――啓のために命を失った人は多い。命を失わないまでも、文也は足を失くし、上野蓉子《うえのようこ》は事件に巻き込まれた。

「……そうさね、お前は望むと望まざるとに拘《かかわ》らず、凶星を背負っておる。お前に近づくというのは、死に近づくということ」

アデラの言葉にショックを受けて、啓は身を震わせた。

「俺は疫病神《やくびょうがみ》なんだ…」

青ざめて啓が膝を抱えると、アデラが杖で啓の頭をぽかりと叩いてきた。

「いて…っ」

痛みに顔を顰めて啓が顔を上げると、アデラが思いがけなく優しい顔で笑う。

「お前は本当にひよっこじゃな。エリックとは大違いじゃ。なにもそれはお前一人の宿命じゃない、《薔薇騎士》の宿命なんじゃよ。お前は周囲の人間を死に近い場所に巻き込んでしまう。けれどお前には周囲の人間を守れるだけの力がある。たとえお前が疫病神だろうと、皆がお前に惹《ひ》かれ、助けようとするじゃろう。それが《薔薇騎士》――名誉ある称号の宿命じゃ」

《薔薇騎士》の宿命――啓は唇を噛んでアデラを見つめた。以前にもエリックとは大違いだと言われた。あれは誰だったか…、そうか、アダムだ。

「アダムと会って話すことはできない？」

思い余った末に啓は頭を過《よ》ぎった考えを口にした。アデラが目を細めて、黙って啓を見返す。

「アダムは…俺に仲間になれって言ったんだ。俺が頼めば、ラウルを返してくれないかな…？」

自分でも信じられないことを言っているという自覚はあった。敵であり、ラウルを捕らえた張本人なのに。それでも心のどこかに、アダムは啓が頼めば言い分を聞いてくれるのではないかという考えを捨てきれなかった。祖母の家で会ったアダムは、まるで啓の機嫌を取るような真似をしていった。もしかしたら――。

「怖いのう…あの方は本当に恐ろしい男じゃ。あの方が毒の種をまけば、それはいずれじわじわと芽吹《めぶ》いてくる…。――ラウルを返す代わりに、お前に仲間になることを強要したらどうするつもりじゃ？」

どきりとして啓は口をつぐんでうつむいた。

啓にだって分かっている。アダムがただでラウルを返してくれるわけがない。ラウルを返す代わりに、仲間になれと言われたら――。

「分からない…、もう分かんねぇよ…っ、だって、じゃあどうすりゃいいんだよ！」

癇癪《かんしゃく》を起こして啓が怒鳴ると、アデラが呆れた様子で溜息を吐いた。啓にとっては、自分がアダムを倒す力を得るよりも、アダムに懇願してラウルを解放してもらうほうが確実に思えてならなかった。あのアダムに敵う力など、到底手に入れられるはずがない。無駄な時間を過ごすよりも、まだラウルが人間でいる間に手を打つべきなのではないか――啓はそんな思考から離れられずにいた。結局のところ、自分に自信がないのだ。魔法使いが魔法でも使って啓自身を変えてくれない限り、アダムを倒せる特別な力など得られるわけがない。

「ふむ。ではこうしよう」

啓の隣に腰を下ろし、アデラが啓の足元でくーんと悲しげに鳴いているサンダーに目をやった。サンダーは最初はアデラに対して牙を剝いていたが、なにかを感じ取ったのか二度目からは牙を剝かなくなった。とはいえ《不死者》であるのは分かっているので、近づきはしない。

「私が視る限り、今から一年後までにラウルが《不死者》になる可能性はない。お前はこれからこのカタコンベの奥にある試練の間に入り、試練をこなす。一年の間に第一の扉を開けられたら、あの方とお前が話し合う機会を設けてやろう」

不可解な条件を言い渡され、啓は驚いてアデラを凝視した。アデラは一年の間にラウルが《不死者》になることはないと断言した。それは喜ばしいのだが、試練の間とか第一の扉とか聞き慣れない単語を聞き、戸惑いが広がる。

「試練の間……？」

意味が呑み込めず啓が問い返すと、アデラが深く頷いた。

「このカタコンベの奥には特別な部屋がある。試練の間、幻想の間、幽玄の間、先視の間、聖者の間……他にもいくつかの不思議な部屋があってな。入る者に見合った部屋を生み出す」

おとぎ話みたいな話をされて、啓はいぶかしげにアデラを見返した。

「お前の前には試練の間が開かれる。それを潜り抜け、奥の扉を開けてくれればよい。簡単じゃろう？」

よく分からないが部屋に入って奥の扉を開ければいいだけなら簡単だと思い、啓は身を乗り出した。

「それをやれば、アダムと交渉できる機会を作ってくれるんだな？　だったらやるよ、そこに案内して！」

一年の間に、とアデラは言うが、とても一年も待っていられない。どんな場所か知らないが、体力には自信がある。一気に奥の扉を開けに行けばいい。

「うむ、少し元気になったようじゃな。では、行くか。お前さんの意思とやらを尊重して時間を食いすぎた。スティーブンなどは、有無を言わせず放り込めと言っておったのだがな…」

アデラが立ち上がり、先に立って歩きだした。啓はその後をついていく。サンダーにはここにいろと命令したのだが、アデラが連れていってもいいと許可したので連れていくことにした。

長い石でできた廊下を歩いた。明かりはほとんどなく、アデラが持っているランプだけだ。サンダーは警戒して周囲に首を振っている。

三十分も歩いた頃だろうか。アーチ状の石の仕切りに、木戸がつけられた扉が現れた。ここが入り口らしい。アデラが杖で戸を叩くと、不思議な事象が起きた。下のほうに設置された小さな取っ手が開き、中から一本の剣が出てきたのだ。

「ほれ」

アデラに促されて剣を摑んだ。剣は細身の物で、刃は錆《さ》びつき、握る柄《つか》の部分もぼろぼろだ。

「では挑むがいい、無事辿りつけるよう祈っておるよ」

杖をついた状態で、アデラが呟いた。啓は勝手が分からないなりにも、剣を握り、扉を静かに押し開けた。

「地図とかないの？　そのランプ借りちゃダメ？」

啓の質問にアデラは呆れた顔で首を振った。

「ランプを持つ余裕などないと思うぞえ。地図は自分で作るもんじゃ。やれやれ、こんな調子で大丈夫かのう…」

アデラの顔に「こりゃ駄目かも」という表情が浮かんだのを見て、啓はきっと眦《まなじり》を上げて、扉の中に入っていった。様子を窺《うかが》いつつサンダーもついてくる。

「わ…」

一寸先は闇だった。これではどちらの方向に行けばいいのかまったく分からない。やっぱりランプを貸してくれ――そう言いかけて後ろを振り返ると、そこにあったはずの扉が煙のように消えていた。

「えっ⁉」

慌てて手探りで扉があった場所を触るが、どこにも見つからない。自分の頭がおかしくなったのかと焦ったが、足元ではサンダーの鼻息が聞こえてくる。

「うー…、オカルトじゃねーよな…?」

入った扉が消えるなんて、通常ありえないが、これまでも常識では考えられない世界をたくさん見てきた。ともかく奥の扉とやらを目指して歩き始めるしかない。

「行くぞ、サンダー!」

気力を振り絞るためにも啓が掛け声をかけると、サンダーの返答と共に、なにかが空気をかすめる音がした。今のはなんだろうと警戒した矢先、それは啓の背中に衝突した。


試練の間の初日の記憶は、啓にはほとんどない。

なにしろ入ってすぐのところで硬い物で殴られて意識を失ってしまったからだ。気づいたら地下の隠れ住んでいる部屋にいて、アデラががっかりした表情で見下ろしていた。気を失った啓をここまで運んできてくれたのはアデラらしい。

それから日課のように試練の間に行き、奥の扉を目指したが、一メートル進むのがやっとで、奥の扉どころではない。暗闇の中、どこからか黒い大きなボールのような塊《かたまり》が飛んできて啓の四肢を打つ。当たり所が悪ければ意識を失い、そうでなくとも痛みで気を失う。

身を躱《かわ》したり、持っている剣でなぎ倒したりすればいいと分かっていても、黒い大きなボールはあまりに速く、啓の反射神経ではとても太刀打ちできない。

「アデラばあちゃん! なんかヒントくれよ! やっぱ俺には無理!」

試練の間に入って一カ月が過ぎ、せいぜい五メートルくらいしか動けない啓は、思い余ってアデラにすがりついた。アデラは痣のできた啓の背中に湿布を貼り、ふーっと溜息をこぼした。

「わしもいろいろ《薔薇騎士》を見てきたが、お前のように情けない奴は初めてぞえ。《薔薇騎士》といえば皆気高い魂と優れた知性を持つ者なのじゃが…。少しは自分で考えんか」

「だって考える暇なんかねーじゃん…いてっ！」

ベッドに横たわって治療を受けていた啓は、ばしんと背中を叩かれて跳ね起きた。湿布や包帯だらけの身体にげんなりし、シャツの袖《そで》に腕を通す。足元にいたサンダーは、眠そうにあくびをして身体を丸めた。サンダーは啓に毎日つき合っているわりに怪我がない。

「サンダーはいいよなぁ…、あれ…？」

よく考えたら何故サンダーは無傷なのだろう。あの黒い大きなボールは、啓めがけてきているのか？　ランダムに打ち込まれているように考えていたが、だとしたら何故サンダーは避けられるのか。

一晩考え込んで結論が出なかった啓は、翌日の試練の間では、サンダーの動きに注意してみた。さすがに一カ月も過ぎると、暗闇に慣れてきて、なんとなく気配を感じられるようになっていた。サンダーは息が聞こえるので、どこにいるかはすぐ分かる。

（あ…っ）

足元のサンダーを見て、啓は目を見開いた。サンダーは動物的本能で、ボールが飛んでくるわずか前に身体をひねって避けているのだ。啓にとっては過酷な試練だが、サンダーにとっては遊びの一環であるらしい。油断なく周囲を見据え、啓の所在地を確認しながらボールを避けている。啓もサンダーの真似をしてボールを避けようとしたが、これがものすごく難しい。四方八方に気を配っていなければならないし、一つ避けられたとしても、またすぐ別のボールが飛んでくる。がむしゃらに走りだせばボールは無数に飛んできて啓の足を止める。

三カ月が過ぎた頃、啓は初日よりはマシだが、あまり進歩がない場所でうろついていた。

その日は遅々として進まない己に嫌気が差し、苛立っていた。

試練の間を五メートルも進んだ時だ。啓は偶然伸ばした手で、飛んできたボールをキャッチできた。キャッチしたのは初めてで、思わず目の近くまでそれを引き寄せた。

「ぎゃあああああ！」

目の前に持ってきたそれを見た瞬間、啓は悲鳴を上げて放り投げてしまった。

黒いボールだと思っていたのは、胎児だったのだ！　頭が異様に大きく、手足を丸めた不気味な硬さを持つ胎児だ。今まで黒い大きなボールだと勘違いしていたが、あれらはすべて胎児だったのか。そう思ったとたん、啓はショックで失神してしまった。試練の間では気を失うと外に出されるシステムらしい。目覚めるとアデラが見下ろしていた。


「ばっ、ばっ、ばあちゃん！　赤ん坊が…っ、あ、赤…っ」

パニックになってアデラに報告すると、いつものようにしらっとした顔でアデラが肩をすくめた。

「お前、ここがどこだか分かっとらんのかね。ここはカタコンベ。赤子の死体なぞ、ごまんとあるわ」

「ひいいっ」

当たり前のように肯定され、啓は身震いして頭を掻きむしった。今までボールだと思っていたから耐えられたが、赤子の幽霊だか化け物だかに殴られたり蹴られたりしていたのかと思うと、正気を保てない。怖いし気持ち悪いし、なにより赤子を叩き落とすという行為は死者の尊厳を冒瀆《ぼうとく》している気がする。

「お前はあの胎児の攻撃を躱して、奥の扉まで辿りつかねばならんのじゃよ」

アデラに懇々と諭され、翌日もなんとか試練の間に赴《おもむ》いたが、やはり胎児だと思うと怖気《おぞけ》が走って、避けながら奥へ向かってダッシュするしかできなかった。

駆けると余計飛んでくるから、あまり賢い方法とは言えなかった。

　三カ月も試練の間で足止めを食っていると、久しぶりにスティーブンが現れて、湿布だらけの啓を見て愉快そうに笑った。

「ははは、いい様だ。ボロカスだな、お前は今ボロボロのカスカスだ」

　スティーブンはさも楽しそうに笑い、啓の苛立ちを誘った。

「うっせぇな、じいちゃんは行ったことあんのかよ！　マジで大変なんだぞ！」

　腫《は》れた頬に冷えた湿布を貼り、啓は腹を立てて怒鳴り返した。スティーブンは車椅子を操作して啓に近づくと、にやりと笑う。

「ここはクロフォード家にとって開かずの間だ。奥になんぞ行ったことはないわ。頼まれても行くものか」

「ないのかよっ」

　がくっとして啓が呆れた顔になると、最後の湿布を啓の背中に貼り終えて、アデラが笑った。

「スティーブンは息子といるより孫といるほうが、楽しそうじゃのう」

　アデラの指摘にスティーブンが顔を引き攣らせ、ふんと鼻を鳴らした。啓が興味津々でスティーブンを見つめると、ふいっと顔を反らして顎を撫でる。

「奥の間にエリックが入ったのは四歳の時だ。二つの部屋の扉を開けたと楽しそうに笑っておった」

　啓はぎょっとしてスティーブンを凝視した。

　今、四歳児だった父があの部屋の奥へ行ったと言ったのか。まさか。信じられない。しかも二つの部屋をクリアした？

「エリックは偶然地下に入り、奥へ行ってしまったのよ。あやつは生まれた時から特別な子だった。夕食に現れなかった幼いエリックを捜しに来たわしがここに立った時、あやつはこう言いおった」

　遠い記憶を辿るようにスティーブンの声音が低くなる。

「父上はじきに、刻印を失います」

感情を押し殺した声でスティーブンが告げ、びっくりして啓は目を見開いた。

「エリックの予言通り、わしはその一年後、刻印を失った。エリックは、恐ろしい子どもだ。わしにとっては脅威だった。とても息子とは思えなかった。言葉が話せるようになってからのエリックは、わしよりよほど精神的に大人だった。そんな馬鹿な話があるわけない、と思うだろう？　たかが四、五歳の子どもが世の道理に通じておるなど――しかしエリックは子どもではなかった。何者かがきっとエリックの中に入っておったのよ」

スティーブンの過去話を聞き、啓は感慨深いものを感じていた。これまで父を敬い、尊敬する者の話はよく聞いてきたが、スティーブンのように忌まわしげに話す人は初めてだ。父は特別な人間だったかもしれないが、身内とは上手くいっていなかったようだ。

「なんで刻印を失ったの？」

聞いてもいいか分からなかったが、今しか問うことはできないような気がして啓は思い切って尋ねてみた。スティーブンは今は刻印を失った右手を見つめ、意外な一言を放った。

「自分に嘘をついていたからだ」

「え…？」

浮気したためと文也から聞いていたので、その話が出ると思いきや、スティーブンは全然違う理由を話し始めた。

「薔薇騎士団の重鎮どもは皆高潔に生きろと言い続けておったが、わしが思うに、《薔薇騎士》の刻印は魂と共鳴しておる。己に嘘をつき、自己を殺すことが刻印を消してしまうことに繋がるのではないか…」

刻印が魂と繋がっている――啓はなんとなく呑み込めた気がしてスティーブンを見つめた。

「じいちゃん、自分に嘘をついてたの？」

自分に嘘をつくというのは、どういう意味だろう。なにかをやりたい気持ちを押し殺したり、思ってもい

ない言葉を口にしたりということだろうか？

「わしは幼い頃から《薔薇騎士》として生きろと父から教えられ、あらゆるものを犠牲にして高潔な人物になろうと努めてきた。だがその実――わしは同じ《薔薇騎士》たちに嫉妬していた。皆が崇高な人物であることを妬《ねた》み、己の性格の悪さに反吐《へど》が出そうだった。自分を嫌っておった…、皆がお綺麗な言葉を口にするたび、嫌な言葉を吐きたくてたまらなかったのよ。エリックが生まれて、奴が生まれながらの聖人君子であることが分かると、わしの嫉妬はエリックにも向かった。この子は大きくなったら総帥になる、と誰もが褒《ほ》めるたび、心の中ではどろどろとした思いに苛《さいな》まれておった。自分という個を表に出せずにいたのだ…、あの頃のわしは《薔薇騎士》というものを勘違いしておったのだよ」

　思いがけないスティーブンの話は、啓にとって目から鱗《うろこ》だった。《薔薇騎士》だった祖父が周囲の人間を妬ましく思っていたなんて、意外だ。

「ある日、わしは恵まれない子どもに施しを与えるために修道院へ行った。エリックが一緒にいたのだが、高価な菓子やおもちゃを与えるわしを見てこう言った。魚を与えるより、釣り道具を与えるべきではありませんか？　とな。エリックが有名な故事を知っていたかどうかは知らんが、あやつはわしが恵まれない子どもに施しを与えることで己の矜持を満たしていることに気づいておった。わしは幼い子どもに蔑まれたのを感じ、猛烈に苦しんだ。エリックが憎かった。子どものくせに生意気な奴だと罵倒し続けた。その夜だ、高熱を発し、刻印を失った」

　どきりとして啓は息を呑んだ。

「刻印を失い《薔薇騎士》でなくなったわしは、真の理由は誰にも話せず、浮気したせいだと誤魔化した。これがわしが刻印を失った理由よ」

　話し終えてすっきりした顔つきになり、スティーブンが唇を捻《ね》じ曲《ま》げる。

「刻印を失って、わしは世の中に絶望した。自分が与えられた義務も全うできない愚者に思えてならなかった。だがその数年後には、思ってもみない世界が広がった。わしは自由になった。高潔を気取らなくてもよく、酒も煙草《たばこ》もギャンブルもし放題だった。楽しかったぞ。《薔薇騎士》だった頃、わしは自分自身を認められずにいた。わしは口が悪く、嫉妬深い、底意地の悪い人間だったのだ。それがどうした、底意地が悪くていいじゃないか、そんな自分を受け入れればよかったのだ。《薔薇騎士》である時に己を認めて素直に生きておれば、まだ刻印はあったかもしれん……。まぁ《不死者》との闘いなど面倒でしかなかったがの」

スティーブンは軽く話しているが、刻印を失った頃はきっと地獄の苦しみだっただろう。クロフォード家に生まれ、刻印を所有していたなら《薔薇騎士》になるのは必須だ。周囲の期待に応《こた》えなければならないという重圧もあっただろうし、そんな中で刻印を失ったのなら、絶望してもおかしくない。

そう思う傍《かたわ》ら、啓は胸のつかえがとれた。スティーブンの言葉が納得できたというか、これは真実だと共感したのだ。啓は久しぶりに明るい笑顔になった。刻印の秘密――それが魂と繋がっているという話は、啓の重荷を軽くするものだった。レヴィンとラウルという二人の《守護者》と関係を持ってしまってから、自分はいずれ刻印を失うのではないかと恐れていた。もし自分が刻印を失ってしまったら、期待している文也たちに申し訳が立たない――そう思っていた啓には朗報だった。自分が自分である限り、自分自身に嘘をつかない限り、この刻印が存在するのであれば。

「じいちゃん、ありがと。俺、じいちゃんは口が悪いけど好きだよ」

快活な笑顔で告げると、スティーブンは動揺したように目を背け「ふん、こわっぱが。わしに取り入ろうとしておるな」と悪態を吐《つ》いた。背けた顔が少し照れている。スティーブンは意地悪なことを言わないと収まりがつかない性格らしい。

父の話を聞くたびに自分とは雲泥の差だと思うもの

の、身近に過ごしたスティーブンの葛藤を想像すると自分は息子でよかったのかもしれない。比較して落ち込むには、あまりに父の背中は遠い。父の話を聞くのは楽しい部分も多いが、一日でこのカタコンベを二つもクリアできた父に比べ、半年経っても未《いま》だ攻略できていない自分はあまりにも腑甲斐《ふがい》ない。

（なんで四歳の子どもがあんな場所を歩けたんだ？）

父がどの部屋に入ったかは分からないが、アデラの話ではどの部屋も扉を開けるのは難しいそうだ。以前レヴィンが、父は助ける必要もないほど強かった、と言っていた。父が入った部屋の一つは、試練の間ではないかと啓は考えていた。実際啓も試練の間に入るようになってから、身体能力が上がった。クリアできなくても、強制的に反射神経を養われているせいで、以前より感覚が鋭くなった。

（でも四歳の子どもだろ？　いくら父さんがすごくたって、今の俺より強いわけねーよな？　それにたった一日でクリアしたなら、身体能力が上がるわけねーか…。とするとやっぱ別の部屋なのかなぁ…）

スティーブンが屋敷に戻り、アデラの姿が消えると、啓はランプの明かりを灯した部屋のベッドに寝転がった。サンダーは足元で身体を丸めて寝ている。あまり日に当たらない生活もどうかと思い、サンダーはたまに外に出してもらっている。啓と同じくサンダーも試練の間に入るようになってからめきめきと俊敏になり、気のせいか毛づやもよくなっている。

（体力的な問題じゃねーんだな…。うーん、じゃあどうすりゃいいんだ…）

硬いベッドの上に寝転がり、啓は頭を悩ませた。アデラが一年という期間を設けた時は、すぐにでもこなせると思っていた。ところが八カ月経った今も攻略法は見つからず、気ばかり焦る。こうしている間にもラウルは苦しみ、殺されて《不死者》にされてしまうかもしれない。

（くっそ…、こんなとこで時間くってる場合じゃないのに……）

その夜は悶々《もんもん》と悩みながら眠りについた。そのせいか夢の中でラウルとレヴィンが出てきて、啓に恨めしげな目を向ける。二人は謝る啓に愛想を尽かして、去ってしまった。呼んでも答えはなく、追いかけても捕まらない。夢の中で寂しくて一人ぼっちでうろついていた。大切なものを失ってしまった虚無感を抱えて、啓は二人の名を叫び続けた。

目覚めて自分が泣いているのに気づくと、無性に恥ずかしくなって目を擦った。

ラウルも心配だが、レヴィンも心配だ。どうなっているか様子を見に行きたくてたまらない。アデラが言った通り、啓の傍にいる人々は過酷な運命を背負う。本当に彼らを守ることができるのか。今の啓には途方もない道に思えて仕方なかった。

（本当にもう一度会えるのかな…）

つらい時には首にかけている指輪とメダイを握りしめた。メダイは以前ラウルからもらったもので、指輪はレヴィンとラウルからもらった金と銀の指輪だ。《守護者》からの大切な贈り物は、くじけそうになる啓の心を慰めてくれる。

（しっかりしろ、気弱になるな！）

くじけそうな心を奮い立たせて、啓は指輪を見つめた。

その日、試練の間に入った啓はしばらく動かず、その場に立ったまま考え込んでいた。サンダーは行かないの？　と言いたげに啓が動くのを待っている。

（動かないと、あのこえー胎児も飛んでこねーんだよな…。つまり俺に反応してるってことだよな？）

この部屋の秘密は分からないが、一定の法則があるのは分かった。啓が速く動けば動くほど、それを止めるかのように攻撃される。

（よく分かんねーけど、あの胎児ってここの主なのかな…。勝手に荒らし回られたくなくて、動くものを攻撃するんだろうか。それにしてもすげー速さだよな。剛速球のピッチャーみたい。つーと時速百六十キロくらい？　《不死者》と同じくらいか、はえー…）

　そこまで考えて、ふとこの剣も祝福できるのだろうか、と思いついた。

「祝福する…」

　錆びた剣にキスをして祝福すると、信じられないことが起きた。錆びていた剣が光を放ち、まるで新品の剣みたいに生まれ変わったのだ。

「俺の馬鹿！　こうやって使うもんだったのか！」

　今まで《不死者》相手ではないのだからと、剣を祝福する発想が出てこなかった。己の馬鹿さ加減に腹が立ち、その場でごろごろとのた打ち回った。すると胎児が飛んできたので、慌てて動きを止める。

「アデラばあちゃんも、ケチケチしないで教えてくれりゃいいのに…」

　無為に過ごした八カ月間をひとしきり悔やむと、啓は剣を構え、ゆっくりと歩きだした。剣はぼうっとした明るさを放っていて、少しだが周囲の様子が見える。歩き始めたとたん、なにかが飛んでくる気配があって、啓は剣を振り回した。

「わっ」

　白い粉が剣先から舞い落ちる。あの胎児を斬ったと思ったのだが、まるで《不死者》が灰にされた時みたいに粉塵《ふんじん》となって消えていった。今まで見てきた《不死者》と違うので胎児を消滅する考えが浮かばなかった。けれど啓の祝福した剣は、この部屋の胎児を消すことができる。

「そうか、こういうことか！」

　ようやくこの部屋の攻略法が見えてきて、啓は意気込んで剣を振りかざした。気配に集中し、飛んでくる胎児を避けたり、剣で滅ぼしたりする。剣のおかげでわずかに道が見え、これならきっと扉を開くことができると啓は目を輝かせた。

「怪我は少なくなったようじゃのう」

ベッドにぐったりして倒れ込んだ啓を見て、アデラは楽しげに笑った。

「なぁ、あの部屋本当に扉があんの？　いっくら歩いても見つからないんだけど」

げんなりした顔で啓が聞くと、アデラはサンダーの餌皿《えさざら》に餌を入れ、にやりとした。

「お前の目が節穴じゃからじゃろ」

ぐうの音《ね》も出ず、啓はアデラに背を向けた。一カ月前、剣で胎児が滅ぼせると分かり、意気揚々として部屋の中を歩き回った。だが結果として未だに啓は扉を見つけられずにいた。部屋の中は大きな迷路のようになっていて、日によって形が変わる。昨日覚えたつもりでも翌日は役に立たず、延々と探し続けて疲れて倒れ込むと、部屋から追い出される。迷路といえば儀式の時も挑んだが、今回はあの時のように右手は反応してくれない。飛んでくる胎児を粉にしながら出口を探すのは並大抵の苦労ではなく、時間だけが刻々と過ぎてゆく。

「そもそもさぁ、あの異空間、誰が作ったの？　まさかアダムが……？」

気になっていた質問をすると、アデラは餌を食べるサンダーを見やりながら、首を捻った。

「さてな。それに関しては知らんのう。クロフォード家に代々伝わる開かずの間…としか聞かされておらんで。あの方もまたいくつかの部屋の扉を開いたと言っておったな。このカタコンベではその人物に見合った部屋しか見せん。お前が試練の間を攻略しても、あと入れるのは……うむ、幻想の間と幽玄の間くらいかの」

啓をじっと見つめ、アデラが訳知り顔で頷く。アデラにはなにか視えたのか。

「そうなの？　先視の間、とか入ったらアデラばあちゃんみたいに未来が視えると思ったのに」

啓はがっかりして身を起こし、壁に刻まれた日付を見た。もう二月だ。試練の間に入って九カ月が過ぎてしまった。

「お前は未来など知らぬほうがいい。どうやら考えるより動くほうが性に合っているようだしのう。深く悩むだけ損じゃ。お前さんは、考えたつもりだろうが見当違いの発想が多い」

「うぐ…っ」

自分の性格をずばりと言い当てられて、啓は膝を抱えて唇を尖《とが》らせた。

「なんか俺アホっぽいじゃん…。俺なりに真剣にいろいろ考えてるのに…」

「お前は直感で動くほうが合っておるということじゃ。エリックとマリアの子どもとしては予想外じゃが、やはり環境で人は育つということかもしれん」

確かにアデラの言う通り、父も母もどちらかといえば理知的な印象が強く、外見以外に似ているところを見出せない。

「……なぁ、母さんっていつもどこにいるの？」

ふと気になって啓は声を潜めて尋ねた。足元では餌を平らげたサンダーがあくびをしている。

マリアはめったにここに現れない。スティーブンと会う機会の方が多いくらいだ。八月の啓の誕生日には一応顔を見せたが、ほとんど喋らず帰ってしまった。もっと会いたいのに来てくれないので、嫌われているのだろうかと不安が過ぎる。再会した時も涙を流して抱き合うということもなかっただけに、母なのにどこか遠い存在だ。

「マリアは母親としてなにもしてこなかったのに、のうのうと顔を出すわけにはいかんとゆうてのう。お前と違い理屈で動く性《さが》なのじゃ」

「そんなぁ…」

母に嫌われているわけではないのは安心したが、せっかく会えたのにろくに話もできないのは不満だ。外に出られない状態なのが歯がゆい。一般的な母親像を求めているわけではないが、仮にも母親なのだし、母の口から父の話も聞きたい。

アデラが帰ろうとしかけたので、啓は慌ててもう一つ聞いておきたかった質問をした。

「アデラばあちゃんは、なんでアダムを倒すほうに加担してるの？　アダムを尊敬しているんだろ？」

啓の質問にアデラが振り返り、しばらく考えた末に啓の隣に戻ってきた。アデラは今でもアダムをあの方と呼ぶし、声音からも憎んでいる様子はない。アデラが自分を強くしようとしているのはアダムを倒すためなのに、これでは矛盾している。

「そうさな…、多分あの方のためじゃろう」

「アダムの？」

アダムのためという言葉は聞き逃せず、啓は眉を顰《ひそ》めてアデラを見た。

「あの方はもう長い時を生きすぎて、あらゆることに退屈している。中でも《薔薇騎士》を根こそぎ刈り取ってしまったのはあの方の失敗じゃ。お前がもしあの方を倒せなかったら、いずれあの方はこの世に忌まわしい《不死者》の王国を創ってしまうじゃろう。あの方は死ねなくなったために、恐ろしい病にかかっている。退屈という名の病じゃ。死を持つ人間こそが完璧だ…あの方は以前そう言っておった」

アデラの話は啓には想像もできないもので、長い時を生きたアダムの気持ちなど推し量れない。けれど《不死者》となり永遠の時を彷徨《さまよ》うアデラが言うならそうなのかもしれない。自分がもし何百年も生きる身体になったらどうだろう？　仲の良い人たちが死んでいくのを見守るしかないのは嫌だ。そもそも啓は《不死者》になどなりたくない。

「あの方にとって、最初、お前は単なる遊び道具だった。久しぶりに美味しい食事を与えてくれるだけの者。それが血縁関係と知り、あの方は自分が子を成したという奇跡に驚いた。お前に興味津々じゃ。あの方はお前を仲間にして、その奇跡を解明したいと思っておる。あの方は勉強熱心でな…自分が知らないことがあると嬉々として解明したがる」

「ふーん…」

アデラがアダムを倒したい理由は、なんとなく分かった。アデラはアダムという人格が壊れる前に終わりにしたいのだ。これも愛情の一つなのか。

「お前がここにいることを、きっとあの方はお見通しじゃ。あの方は簡単にお前を捕まえることもできる。じゃが、こうして好きにできているのは泳がせたほうが面白いと思っているにすぎん。……お前につけ入る隙があるとすればそこよ」

「え？」

アデラの目が光って、啓はびっくりして目を見開いた。

「あの方はお前を子ネズミくらいにしか思っておらん。油断しておるのよ。お前の弱さが見えすぎるから、本気になる必要がないと思っておる。お前から来るのを待っておる。それは我々にとっては大きなチャンスじゃ」

潜めた笑みを浮かべ、アデラが力強い声で告げる。アデラに言われると、身が引き締まる。今の啓にはアダムは到底倒せそうもない敵だが、チャンスはあるのではないかと思える……。

「あの方を倒せたら、お前さんは私のことも滅ぼしてくれよ」

なにげない口調で言われ、啓はどきりとして息を詰めた。そうだ、いずれ啓はアデラも滅ぼさねばならない。アデラは一見優しく仲間のようでもあるが、《不死者》として存在する以上、灰にされる対象だ。

「《不死者》は全部滅ぼさなくちゃいけないのかな…」

今は意識を取り戻していないレヴィンのことも、啓は未だに思い悩んでいる。いずれ殺すと約束した以上、啓は最終的にレヴィンを手にかけなければならない。だがそうすると考えただけで、とてもつらい。今はそんな気持ちにはなれない。ただでさえ強引にレヴィンに自分の血を飲ませて、あんな状態にしてしまったのだ。これ以上レヴィンを苦しめたくない。

「なぁアデラばあちゃんには視えてるんだろ？　俺はレヴィンを滅ぼすの？」

どうしても知りたくて啓は真顔で尋ねた。するとアデラは苦笑して杖を振りかざし、啓の頭を殴ろうとした。反射的に避《よ》けると、アデラが唇の端を吊り上げる。

「どうして未来が分かると知ると皆、結論を知りたがるのかねぇ。お前が滅ぼすと決めたら滅ぼすし、滅ぼさないと決めたら滅ぼさない。聞くまでもない、簡単なことじゃろ？」

煙《けむ》に巻かれて、啓は不満げに鼻を鳴らした。結局は啓次第だと言いたいのだろう。そんなことは分かっているが、啓はレヴィンを滅ぼさなくていい理由を探し続けている。

レヴィン——懐かしい怜悧《れいり》な眼差《まなざ》しを思い返し、胸が痛んだ。雄心のアパートメントに匿われているから大丈夫だと思うが、できることならこっそり様子を見てきたかった。もうずっとレヴィンともラウルとも触れ合ってないのだと思うと悲しくなる。アデラは啓には周囲の皆を守れる力があると言っていた。二人の《守護者》は強くて、啓が守るなどおこがましいが、叶うなら二人を守れる力を手に入れたい。

（こんなところでうだうだやってる場合じゃないのに……）

攻略できない試練の間を思いながら、啓は去っていくアデラの小さな後ろ姿を見やった。


相変わらず試練の間の出口は見つからないが、二月の終わりにはマリアがやってきた。もしかしたらアデラが気を遣って、啓のところへ行くよう言ってくれたのかもしれない。

マリアはにこりともせず啓のいる部屋に来て、小さなケーキと骨付き肉をくれた。骨付き肉はサンダーをいたく喜ばせ、夢中になってかぶりついている。啓も久しぶりに甘い食感に興奮した。ここに来てから食事はアデラが持ってきてくれるが、甘いものは一度ももらったことがないからだ。ぜいたくを言ってはいけないかと思い我慢していたので、余計に美味しく感じられた。

「なぁ、あの…母さん」

啓はケーキを置くと早々に帰ってしまいそうなマリアを呼び止めた。母さんと呼ぶ時まだぎこちなさを覚える。

「少し話してもいい？　ダメ？」

無言で振り返ったマリアに上目遣いで聞くと、すーっと戻ってきて、啓の向かいに座った。テーブルを挟んで向かい合う形になり、啓は気後《きおく》れしつつ口を開いた。どうせなら隣に座ってくれればいいのにと思う。向かい合うと威圧感に口が重くなる。

「あ、あのさぁ…、父さんの話とかしてもらってもいいかな。あ、あとさ！　俺すっかり忘れてたけどお祖《ば》母《あ》ちゃんの手紙あったの知ってる？　母さんに渡そうと思って制服のポケットに入れたままだった…」

我ながら必死で喋っている感が拭えないのは、マリアが無表情だからだ。会ってから一度も笑顔を見せない母は、非常に話しづらい相手だった。美人なだけに余計とっつきにくい。父はどうやってこの母と愛を語り合ったのだろう。啓だったら声をかける気にすらなれない。

「手紙のことは知っているわ。ありがとう」

静かな声でマリアが告げ、また黙り込む。やはり笑顔はない。ずっと黙り込んでいるので父に関しては話したくないのだろうかと思ったが、そうではないことが数分後に判明した。

「それで質問は？」

待ち疲れたと言いたげに促され、マリアが啓の質問を待っていたのが分かった。自分からあれこれ喋ってくれればいいのにと内心怯《ひる》みつつ、啓はめまぐるしく頭を働かせた。

「……父さんのこと、愛してた？」

最初に出てきた質問は、うっかり口から飛び出してしまったものだ。本当はいくつか聞いた後に聞くつもりだったのに。ファーストクエスチョンにしては重すぎる質問だ。啓がおそるおそる窺うと、マリアはふっと表情を暗くした。

「エリック…」

伏せられた目から一筋の涙がこぼれ、啓はうろたえて椅子から立ち上がった。慌ててマリアの隣に回り、そっとマリアの背中を撫でる。かすれた声と、崩れた表情だけで、母がどれほど父を愛しているか知ってしまった。妙に感動して啓は胸が熱くなり、母の肩を思い切って抱いた。

「ごめん、思い出させちゃった…？」

啓が申し訳なさそうに謝ると、マリアはゆっくりと首を振った。

「今でもあの人のことを思い出すと胸が張り裂けそうになるの。私は大事なものを失ってしまった……エリックに会いたい。会って、もう一度抱きしめてほしい」

涙を拭うマリアの薬指には結婚指輪が光っている。こんなに父を愛している母が、薔薇騎士団には裏切り者だと考えられているのかと思うと、腹立たしくなる。啓の両親は愛し合っていた。その間に自分が生まれたのだと思うと、胸がいっぱいだ。

「薔薇騎士団の人からは、母さんが裏切ったせいで父さんが死んだって聞いてる。あれは嘘なんだね？」

「ふ…、そうね。私は薔薇騎士団にとっては裏切り者よ。だって薔薇騎士団の掟《おきて》などどうでもよかったし、《不死者》に対しても憎しみはない」

啓が核心に迫った話をすると、マリアの目に暗い炎が宿り、口元に冷たい微笑が浮かんだ。

「私が父の存在を知ったのは十五歳の時。アデラが私を訪ねてきて、父の正体を教えてくれた。だけど幼い頃から私は自分が異質だと気づいていたの。たった一枚の写真が私の父の情報だった。そしてその数年後、私はエリックと出会った…。最初は父と瓜二つのエリックを厭《いと》ったわ。でも心がエリックに惹かれてしまった…エリックは完璧で、彼に惹かれない女性がいるなら教えてほしいくらい。私は自分が《不死者》の娘だって知っていた。だからエリックといる時、申し訳なくて苦しかった…。彼にはいくらでもふさわしい相手はいたのに、よりによって《不死者》の血を引いた私を選ぶなんて…。しかも総帥である彼が」

マリアが急に饒舌《じょうぜつ》になったので、啓は驚きながら話に聞き入った。マリアは暗い笑みのまま、過去を語っている。

「ある日アデラが再び現れたの。アデラはエリックの死を予言した。私はそれを阻止したかった。アデラはエリックが死ぬことは避けられないとはっきり言ったけど、《不死者》となって生き残る道が残されているって」

――ぞくりとして啓は身を硬くした。

真実の話を耳にし、魂が震える。マリアが考えたことが分かって、戦慄《せんりつ》したのだ。

「そうよ、エリックは《不死者》として生き残る道があったのよ。だから私は薔薇騎士団を裏切ったの。他にエリックが生きる道はなかった。私は血を吸われた者の頭を撃ち抜かなければならないという掟に逆らうつもりだった。それを奪ったのは、レヴィン…ッ、ああ、あいつのことを思い出すだけで憎しみで頭がおかしくなりそう…っ。あいつがエリックを復活させたのに…っ!!」

激しい怒りを覚えたのかマリアは硬いテーブルを拳で叩いた。啓は冷や汗を流し、怒りのあまり身を震わせるマリアを凝視した。ようやく真相が分かった。確かにマリアは裏切り者だ。だがそれは父を助ける唯一の方法が《不死者》にするという道だったからだ。

マリアがレヴィンを恨んでいるという啓の予想は当たっていた。マリアはまるで昨日の出来事のように父の死を語り、レヴィンに対する恨みを募らせている。

「で、でもレヴィンは父さんが生き返らないようにって…、父さんに命令されたって聞いたよ。父さんは《不死者》として生き返りたくなかったんじゃ…」

混乱しつつも啓は懸命にレヴィンの肩を持った。マリアがレヴィンを恨むのは筋違いに思えてならない。確かに父を生き返らせないようにしたのはレヴィンだが、それは総帥であるエリックの命令があったからだ。

「命令なんてどうでもいいわ、エリック自身がどう思っていたかも。エリックを殺したのはレヴィンよ。あの人の頭を撃ち抜いたのはレヴィン。私にとって大事なのはそれだけ。死ぬまであの男を赦《ゆる》さないわ」

ぎらつく瞳で壁を見つめるマリアは、恐ろしく美しかった。マリアがレヴィンを激しく憎んでいるのは理解できた。マリアは理由なんかどうでもいいのだ。父の頭に弾丸を撃ち込んだ男を許せないでいるだけだ。もともと話す気はなかったが、その姿を見ていて余計にレヴィンと愛し合う仲だとは言いだせなくなった。啓としては大事な二人が争う図なんて絶対に見たくない。どうにかしてマリアの気持ちを変えさせたかった。

「現実的に父さんを殺したのはアダムだろ？　レヴィンは俺をずっと助けてくれたんだよ、お願いだから憎まないでよ」

マリアが本質的な部分を見失っている気がして、啓はやや強い口調で言った。マリアは激情を抑え込み、冷ややかな眼差しで啓を見返した。

「私は十五歳の時に父が《不死者》だと知り、彼を滅ぼすことは私の義務だと悟ったわ。アダムの秘密を知ろうと、なんらかの因果関係があると思えた聖ヨハネ騎士団の文献を調べ続けた。私はあなたが生まれた時、二重の裏切りを決意していたの。父を滅ぼすこと、薔薇騎士団を裏切ること、――レヴィンを憎んでも仕方ないことくらい、私だって分かってる。でも抑えきれない、レヴィンがエリックの頭を撃ち抜いた光景を思い出すたびに気が狂いそうになる。あなたをずっと守っていたとしても、私はあの男を赦す気には到底なれないわ」

すさまじい情念に啓は慄《おのの》いた。マリアとレヴィンは過去になにかあったのではないかと思うくらい、互いに反発し合っている。レヴィンがマリアを強烈に憎んでいると知った時もたじろいだが、マリアのレヴィンに対する憎しみにも驚かされた。啓はそこまで他人に憎悪を抱いたことがないので、二人の負の感情がつらい。

それに、一つ気づいてしまった。レヴィンとマリアは似ているのだ。頑固というか、自分がこうと決めたら絶対に他人の意見は聞かない。こんなに反発し合うのは同族嫌悪もあるのではないか。

（ていうか、もしかして嫉妬とかもあるのかなぁ…。母さんから見たら、《薔薇騎士》と《守護者》の関係って仲良すぎて嫌だろうし…）

人間だった頃のレヴィンは知らないが、レヴィンとマリアが仲良く喋っている図は想像できなかった。これから先も、どうやって二人を和解させればいいか見当もつかない。

「……ごめんなさい。やっぱり私、あなたの母親になんてなれないわ」

啓が悲しげに目を伏せたのを見て、マリアがいくぶん困った口調で呟いた。胸がずきりとして顔を上げると、マリアが申し訳なさそうに眉を寄せる。

「あなたを育てることができなくて、本当に悪かったと思ってる。あなたの力になりたいとも思うわ。でも私の中にはずっとエリックしかいないの。あの人がいなくなってしまって…、私は自分がどう生きたらいいのか分からないのよ…」

そう告げるとマリアは居心地悪そうに部屋の隅に目を向けた。今まで啓は母親というものは生まれながらに母親なのだと思い込んでいた。けれどマリアを見ていると、母親になるためにはそれなりの過程というものを踏まなければなれないのだと知った。マリアが自分を心から愛していると言ってくれないのは悲しかったが、もともと遠い存在だったこともあって、そういう意味ではショックは小さかった。

マリアが帰った後、啓はベッドに寝転がり、幼い時分に自分が思い描いていた両親像を思い返していた。友人の母親やテレビドラマに出てくる母親、それらを見るたび自分の母親はどんな人だろうかと想像を膨らませていた。現実はそのどれとも違っていた。啓は母親だというだけで無条件にマリアを好いているが、マリア自身は啓にあまり興味がない。マリアが言っていた通り、父エリックの存在があまりに大きすぎて、他のものが入る余地がないのだ。

　スティーブンやマリア、レヴィンの心の中心にいる人物は父だ。父はカリスマ性があったと言われただけあって、死んだ今でさえ周囲の人に多大な影響を与えている。レヴィンも父を思い返す時、未だに表情が変わる。レヴィンにとって父の存在は大きな力を持っている。父はレヴィンをどう思っていたのだろう？　二人は、《薔薇騎士》と《守護者》として親密で、親友と呼ばれていたという。あれだけ父に傾倒していたレヴィンだが、啓に対するような愛情は抱かなかったのだろうか。この問いは、レヴィンの正体を知ってからずっと啓を悩ませている。レヴィンは違うと言うが、啓にはどうしても信じられない。

（それにしても…母さん、レヴィンのこと相当憎んでたな）

　レヴィンを心底憎んでいるマリアには、レヴィンと自分の関係は言わないほうがいいだろう。ただでさえ嫌悪しているレヴィンが息子と愛し合う仲だと知ったら、どうなるか想像もつかない。レヴィンが本当に目覚めるかどうかも分からないが、二人が相対することになったらどうすればいいのか。

（あーもう考えんのやめ！　頭痛くなってきた）

　啓は髪を掻きむしり、目を閉じて眠ろうとした。試練の間はクリアできず、ラウルが無事かも分からない。レヴィンとマリアの関係も最悪だ。啓は夢の世界に希望を見出すことしかできずにいた。


　試練の間に入り十一カ月を過ぎた辺りから、耐え難い焦燥感《しょうそうかん》が啓を苛《さいな》むようになった。

　眠るとラウルが《不死者》になった夢を見るし、起きているときも出口が見つからない苦しみに喘《あえ》いだ。粉にした胎児は数えきれないほどで、気のせいか身体も重いし頭も痛む。ずっと暗闇にいるせいでネガティブな思考になりがちだし、正常な器官も狂い始めている気がする。啓と違いサンダーは毎日元気すぎるくらい元気なのが不思議でならない。明らかに身体能力が上がっているサンダーを見るにつけ、「お前が《薔薇騎士》になれよ」と話しかけてしまう。意味は分かってないだろうが、サンダーがワンと答えるので余計に落ち込む。

攻略法をアデラに聞く回数もますます増え、苛立ちも募っていく。大体入るたびに道を変えるあの空間は、どこか異次元と繋がっているとしか思えない。

その日、啓は試練の間を彷徨うのに疲れ、床にしゃがみ込んでこれからどうしようかと考えた。身体を動かした時にいつものように胎児が飛んできて、剣を床に置いてしまったのもあって右手でキャッチしてしまった。不気味な胎児をすぐにでも放り投げようとしたのだが、なにか声が聞こえた気がして啓はまじまじと手の中のものを見つめた。

よく聞き取れないが、胎児がなにか言葉を呟いている。

「え？　なに？」

胎児はふつうの胎児と違って硬くごつごつしている。眼窩《がんか》は窪み、ムンクの叫びみたいに不気味な顔だ。気持ち悪かったがなにか話しているということは、知能があるということに他ならない。啓は耳を欹《そばだ》てて何度も聞き返した。

「聞こえねーよ…、なに言ってんだろ…」

文句を言っているのか、あるいは放せと言っているのか。啓はまじまじと胎児を見つめ、無駄と分かっていても問いかけた。

「なぁ出口教えてくれよ。扉ってどこにあんの？」

啓の質問に胎児がなにか答えているが、やはり聞き取れない。あまりに聞こえなくて胎児の口の近くに耳を寄せると、いきなりがぶりと噛まれた。

「いってえ！」

反射的に顔から胎児を離すと、サンダーが横から飛びかかり、胎児の頭に齧《かじ》りついた。胎児は耳をつんざくような悲鳴を上げ、サンダーに抗っている。サンダーは胎児の頭を銜《くわ》えたままぐるぐると頭を動かし、遠くへ放り投げた。

「よ、容赦ねーな、お前…」

サンダーは啓に褒めてもらおうとしてか、尻尾《しっぽ》を振って啓を見上げている。

そんな出来事があった次の日、啓はあの胎児とコンタクトが可能なのではないかと思い、向かってくる胎児の一つをまたキャッチしてみた。剣の光を当て、近くに顔を近づけると、明らかに胎児はなにか喋っている。とはいえ昨日よりやや声は大きくなっているものの、なにを言っているか分からない。

出口を探す傍ら、啓は胎児の声を聞こうと毎日捕まえては話しかけてみた。声は日に日に大きくなり、啓は言葉を聞き取ろうと懸命になった。最初は気持ち悪いと思った胎児も見慣れてきて、可愛いとは到底思えないが不快ではなくなった。

一カ月が経ったある日、ようやく胎児がなんと言っているか分かった。キスミープリーズと言っていたのだ。キスが欲しいのかと思い、かなり躊躇《ちゅうちょ》したが、啓は胎児の頬にキスをした。するとまたがぶっと噛みつかれる。

「なんだよ！　てめーがしろって言ったんだろ！」

頬を噛まれて啓が怒鳴ると、啓の危機と思ったのかサンダーがジャンプしてきて胎児を噛み千切ろうとする。それをどうにか躱《かわ》し、啓は溜息をついた。胎児の願いを叶えれば出口が分かるかと思ったのに、がっかりだ。そもそも何度も噛まれて平気なんだろうか。今は《癒す者》もいないというのに。

「もう本当出口教えてくれよ…。マジで時間がないんだってばぁ…」

手の中の胎児に情けない声を出すと、再び胎児がキスミープリーズと告げる。

また噛まれるのかとげんなりして下を向いた時、右手に握っていた剣がきらりと光った。

——啓はハッとして胎児を見た。

「そっか、そういうことか…」

啓は右手の剣を手放し、胎児を両手で抱えた。剣が床に落ちる音が響き渡り、啓は目を閉じて胎児を抱きしめた。

「祝福する…」

《不死者》にするように聖なる心で、胎児の唇にキスを落とした。

不思議な出来事が起きた。

胎児の全身がきらりと光ったかと思うと、人間の赤ちゃんみたいに柔らかな身体になり、見た目もぐんと可愛くなる。びっくりして啓は瞬《まばた》きを繰り返した。手の中で暴れる赤子は床に下りたがっている。そっと床に下ろすと、赤子ははいはいして歩きだした。サンダーも先ほどまでの胎児とは違うと分かっているみたいで、噛んだりせず啓の横で大人しくしている。

高揚感を持って赤子の後をついていった。赤子の歩みは遅いが、着実に前へ進んでいる。二十分ほどその後ろを歩いた頃だろうか。赤子が歩みを止め、啓を振り返った。

「わ…っ」

いつの間にか目の前に扉が現れていた。ついさっきまで確かになかったはずなのに、忽然《こつぜん》と存在している。啓は紅潮した頬で扉に手をかけた。ゆっくりと音を立てて扉が開く。扉が開くと同時に眩しいほどの光が啓を襲った。

光の渦に巻き込まれるかのようだった。啓は目を細め、扉の向こうへと足を踏み出した。


一歩前に出たとたん、重力が変化した気がして、啓はその場にすっ転んだ。

「いってぇ…」

慌てて起き上がろうとすると、目の前はいつもの石造りの廊下だった。出られたと思ったのは気のせいで、これから試練の間に入るところだったのだろうか？

焦って周囲を見渡すと、アデラが拍手をしながら近づいてきた。

「おめでとう。やっと出られたのう。予定より三週間早いぞえ」

　アデラに褒められ、啓は慌てて立ち上がった。自分はとうとう試練の間を攻略できたのか。喜びが全身を駆け巡り、「やったー!!」と歓声を上げて飛び跳ねた。啓の喜びに同調してかサンダーも跳ねている。

「最初からあの胎児と話せばよかったんじゃん！　アデラばあちゃん先に教えてくれよっ」

　自力で出られたのは嬉しいが、一年近くもかかってしまった。無駄な時間を過ごした気がして口惜しい。もっと早く剣や胎児の秘密に気づいていれば、こんなに時間をかけずにすんだのに。

「ずるをするでない。お前にはこれだけの時間が必要だったんじゃ。それで――ケイ、今一度問おう。お前は本気であの方と話し合いとやらがしたいのかえ？」

　長い石の廊下を歩きながら、アデラが鋭く切り込んでくる。啓はそれまでの興奮がすうっと冷めて、厳しい顔つきになってアデラを見た。

「俺はラウルを取り戻したいんだ。それに今俺がアダムに会わなかったら、ラウルが《不死者》になる可能性は高くなるんだろ…？」

　ある確信を持って啓が問うと、アデラがやれやれと言いたげに苦笑した。

「お前も気づいておったか…そうさな、お前があの方と交渉しなければ、あの赤毛は間違いなくじきに《不死者》にされるじゃろう」

　アデラの宣告に臓腑をえぐられた気分になり、啓は顔を引き締めた。絶対にそんなことはさせない。

　これまでのアデラの話を聞き、アダムの人となりも理解できるようになってきた。アダムはラウルを傍におくために《不死者》にするかもしれない。そうでなくともマリオという新しい《守護者》も現れたのだ。血が欲しいだけなら、新たな候補者が生まれた。アダムが気まぐれでそう考え、ラウルが息絶えるほど血を吸う可能性は高い。

「約束だ、会わせてくれよ。――アダムに」

啓が力強い声で請うと、アデラが振り返り、杖を振り上げてきた。啓はその杖を摑んで、アデラの手ごと握る。

「お願いだよ、アデラ」

アデラの目をじっと見つめて告げると、ふうと大きな息が耳をくすぐった。

「――七日後の晩に、タルシーン神殿じゃ」

アデラの口から刻限が伝えられ、啓は目を見開いて大きく頷いた。

七日後の晩、タルシーン神殿――アダムに会える。

啓は気力が漲《みなぎ》ってきて、拳を強く握った。


七日後の晩は満月で、月が煌々《こうこう》と街を照らす夜だった。

啓は黒い衣服を身にまとい、スティーブンから借りた長い鞭《むち》を右手に握っていた。スティーブンはアダムに会おうとする啓に、剣や飛び道具を運んできて好きなものを持っていけと言った。剣を持とうかと思ったのだが、今は頼れる《守護者》はいない。なるべく多くの《不死者》を倒せる鞭という武器を手に取った。

タルシーン神殿は、ヴァレッタの南、タルシーンの町中にある大きな神殿の遺跡だ。巨大な石が積み上げられた光景は、在《あ》りし日《ひ》の人々の信仰を想像させる。

啓はアデラと共に真夜中、ボートでマルタ島に渡り、タルシーン神殿を目指した。マルタに来るのは久しぶりだ。雄心のアパートメントの地下にいるレヴィンが気になるが、今は我慢だ。

タルシーン神殿は高い塀でぐるりと囲まれた場所だ。啓はアデラに抱えられ、高い塀を飛び越えた。老人の、しかも女性に抱えられるのは精神的に納得しがたいものがあったが、どうしようもなかった。

「さて、この辺りがいいか…」

　公開時間がとっくに終わっている神殿の中に忍び込み、啓とアデラは油断なく周囲を窺った。神殿と言われなければ、石切り場と間違えそうな風景だった。大きな石や紋様の入った石が意図を持って積み重ねられ、ロープが張られた間に、遺跡を説明するパネルがあった。夜なので視界は暗かったが、試練の間に比べれば見えすぎるほど周囲がよく見えた。啓の足元ではサンダーが耳を動かしながらじっとしている。これからアダムに会うのだと思うと緊張感からか唇が乾く。アダムの恐ろしさは啓の身体に叩き込まれていて、いやが上にも鼓動が速まった。

　ふいに生暖かい風が吹いた。

　啓は不穏な気配を感じ取って身構えた。アデラが傍にいるので右手はずっと熱かったが、さらに刻印が反応する。複数の《不死者》が近づいてくる。

「ばあちゃん、どいてろ」

　啓の声にアデラが素早く飛びのいていく。啓は考えるより早く鞭に祝福のキスをして、四方に凶器を振り回した。

「ぎゃああ…っ」

　啓に飛びかかろうとした大勢の《不死者》が一瞬のうちに灰となって宙に舞った。啓は鞭を振りかざしたまま広い場所に駆け込んだ。あとからあとからレベル2の《不死者》が追いかけてきて、啓に向かって恐ろしい速さで迫ってくる。

　啓は素早く鞭を振りかざし、次々と襲いかかってくる《不死者》を灰に変えた。

　不思議なことに、今日は《不死者》の動きがよく見えた。以前は常人を超えた速さを持つ《不死者》から逃げるので精一杯だったのに、今日は彼らの気配といえばいいか、啓に向かってくる軌道が読み取れる。

（そうか…っ、試練の間ってこういうことか！）

　以前は自分を守るだけしかできなかったが、今は攻撃に転ずることができる。それは試練の間で一年近く鍛えられたからなのは間違いない。暗闇で《不死者》と同じスピードを持つ胎児と闘ってきたおかげで、視覚と聴覚、そして反射神経が養われたのだ。今の啓は人間でありながら、《不死者》と対等に闘うことができる。

「ガウウ…ッ」

啓と共に身体能力が上がったサンダーも、果敢に《不死者》に対峙《たいじ》し、一歩も引かない。啓が手の回らない死角の部分はサンダーがフォローしてくれるのが有り難かった。

「は…っ」

逃げようとした最後の《不死者》も鞭で叩きつけると、啓は息を荒らげて周囲を見た。啓を襲おうとした《不死者》たちは、一体残らず灰となって地面に降り積もっている。

どこからか大きな拍手の音が聞こえた。

「ちょっと見ないうちに、ずいぶんと強くなったね」

大きな石の柱から、すっと現れてきたのはアダムだった。サンダーが身を低くして唸り声を上げる。サンダーはアダムを覚えているのか、すぐに飛びかかるような無謀な真似はしなかったが、目に闘志を燃やしてアダムに牙を剝く。啓は鞭を握りしめ、息を整えてアダムと向かい合った。巻き毛の、整った造形の男が啓をまっすぐに見つめる。父と目の色が違うだけの、そっくりな顔をした《不死者》の始祖。アダムとの距離はわずか数メートル。この距離を保たなければならないと啓は直感的に悟った。近づいてアダムの青い瞳を見てしまうと、彼の幻術に惑わされてしまう。

「やれやれ、私は部外者を呼んだ覚えはないがのう」

それまで隠れていたアデラがひょっこりと現れて、杖をついて啓の隣に立った。

「アデラ、久しぶりだ。元気そうでなにより。やっぱり私の孫を連れ去ったのは君だったか」

どこか嬉しそうな表情でアダムが話す。

「ケイが強くなった原因は君が鍛えたからだね。おおかた試練の間かな…。知ってるかい、ケイ。あの異空間を隠すために、私はクロフォード家の屋敷を建てた。今はスティーブンが住んでいるが、彼が死んだら返してもらおうかと思っている」

アダムはアデラと啓に顔を向け、楽しげにお喋りしている。アデラは困った子どもを見るような目つきでアダムを見やり、被っていたフードを下ろした。

「お久しゅうございます」

「私に話があるそうだけど…」

アダムはアデラから啓へと視線を移し、口元に笑みを浮かべた。

「話があるのはケイのほうかな？　やっと肉親の愛に目覚めて私の元へ来る気になった？」

にこやかにアダムに両手を差し出され、啓はなんとはなしにぞくりとして握った鞭を腰に引き寄せた。アダムは異様といってよいほど優しげだが、忘れてはならないのは、この笑顔のまま彼が人の腕や足を千切れるということだ。アダムの言葉や笑顔を額面通りに受け取ってはならない。

「ラウルを返してくれ」

啓は目を細め、しっかりとした声で言い切った。アダムが軽く眉を上げ、差し出した手を引っ込める。

「どうして？」

まるで試すように、アダムが微笑して問いかけてくる。

「ラウルは俺の《守護者》だ」

啓が決然と言い放つと、虚を衝《つ》かれたようにアダムが目を丸くした。ついで破顔し、腕組みをして啓を見つめる。

「君の…か。さぁて、どうしようかな。私はけっこうラウルを気に入っているんだ。あれだけ肉体を痛めつけられても矜持を失わないなんて、めったにいない気高い魂の持ち主だ。そろそろ血を吸いつくして、私の《守護者》にすべきか考えていたところだよ」

私の、というところでアクセントを強くしたアダムの言葉に鳥肌が立って、啓は歯ぎしりした。微笑みを絶やさない男を睨みつけ、鞭を握った手に力を込める。ラウルを《不死者》にするなんて、絶対に許さない——そんな思いで啓が身構えたせいか、アダムがおかしそうに肩を揺らす。

「おお、怖い。ねぇ、ケイ。私は君を敵に回すつもりはないんだよ。君がラウルを返してほしいと言うなら、返してやってもいいよ。ただし――分かってるんだろう？　私は君が欲しい。《不死者》と《薔薇騎士》との間にできた奇跡だ。君の全てを調べつくして傍においておきたい。実は君の存在を知ってから、いろんな女性と親しくしてみたんだけどね。ピンとくる子がいなくて。フサエは私にとって特別だったみたいだ。彼女は神の子だったのかなぁ」

ゆっくりとアダムが近づいてきて、楽しげに語る。啓はアダムが近づくのに合わせて後ろに下がり、いつでも闘える態勢を崩さなかった。

「信じられないかもしれないが、私は君に愛情を抱いているんだよ。その証拠に、君が自ら私の元に来るまで、こうして気長に待っているじゃないか。まだエリックを殺したと思って恨んでいるのかい？　言っただろう、私がしていることは永遠の命を与えること。エリックは私を拒絶して死を選んだ、あの時の私の悲しみが君には分かる？　エリックはすばらしい《薔薇騎士》だった。本当に残念でならないよ」

アダムの声は耳に心地よい低音で、その唇から発される言葉は悪魔の誘惑だった。この男と長く話しているのはまずいと啓は直感で悟っていた。

「…俺が断ったら、どうするんだ？」

アダムは啓が欲しいと言うが、それは簡単には頷けない内容だ。薔薇騎士団の仲間やレヴィンを裏切る行為になる。なによりも、啓はアダムを滅ぼさなければならないのに、アダムに取り込まれる危険性がある。

「君に見捨てられたラウルが、私の《守護者》になるだけだよ。ケイ、私はどちらでもいいんだよ。君は少しは強くなったみたいだけど、ラウルの居場所は知らないんだろう？　私がこれから帰ってラウルの血を吸いつくすのと、君がラウルの居場所を見つけるのと、どちらが早いかな？」

明白な答えを啓に出させるためか、アダムは意地の悪い言い方をして啓を追い詰めた。ラウルの居場所が見つかってないのは事実だ。アダムの言う通り、啓が仲間になるのを拒否すればラウルは《不死者》にされてしまう。

「く…っ」

悔しくてカーッと頭が熱くなり、啓は身体を震わせた。ラウルはまだ人間なのだ。その彼を《不死者》にされるのだけは絶対に許せない。だがどうすればいい？　仲間になれば、ラウルは助かるかもしれないが、多くの人を裏切る行為になる。最悪の場合は、啓が仲間たちと闘う羽目になるだろう。

アデラに問われた時から考え続けていた問題だ。今の啓は確かに強くなったが、アダムに敵うほどではない。こうして向かい合うほどに、互いの力量の差をまざまざと感じる。アダムは自分よりずっと強い。少しばかり強くなったとしても、啓一人で敵う相手ではない。

自分に力があればと願ったのはこれで何度目か。大切な人を守ることもできない、無力な自分――。

「……本当に、ラウルを返してくれる？」

低い声で啓はアダムに問いかけた。声がかすれ、鼓動が早鐘のように鳴り響いている。この選択はいけない、それだけはしてはいけないと分かっているのに、ラウルを取り戻すために啓は禁忌を犯そうとしている。手のひらが汗ばんで、息遣いも荒くなった。啓がこんな選択をしたと知ったら、レヴィンは烈火のごとく怒り狂うだろう。

「私は約束を違《たが》えないよ。ラウルを君に返そう。ラウルはきっと君が私の仲間になれば私に従うだろうからね」

アダムが恍惚とした笑みを浮かべ、啓に向かって右手を差し出してきた。

「俺を…《不死者》にするつもりか？」

啓は身をすくめ、その場から動けずにいた。啓の間いにアダムは優しげといっていいほどふわりとした笑みを浮かべた。

「君がなりたくないなら、無理強いはしない。それに君の中にはすでに《不死者》の血が流れている。私が血を吸っても《不死者》にならないんじゃないかな」

啓は頭がぐらついて、立っているのもやっとという状態だった。アダムの言葉を信じたい自分がいる。目の前の男は恐るべき残忍さを持った男であると知っているはずなのに、アダムは約束を破るような男ではないと弱い心が囁いている。

これは失敗が許されない問題なのだ、と啓は頭の隅で考えていた。アダムの仲間になり、レヴィンや薔薇騎士団の仲間を裏切る――それはあとで修復できる問題にも思える。ラウルを取り戻した後で、アダムのところから逃げ出し、再び敵に回ればいい。アダムの元から逃げ出すのは困難かもしれないが、可能性がまったくないわけではない。それに逃げ出せなかったとしても、薔薇騎士団から裏切り者と呼ばれるくらい、ラウルを救い出せるなら構わなかった。どっちみち追放された身だ。文也たちに申し訳ないという気持ちは残るが、いつか謝罪できる日だってくるかもしれない。

だがラウルを《不死者》にされたら、もう取り返しがつかない。ラウルは二度と人間には戻れないのだ。レヴィンが啓の血を飲んで意識を失った瞬間、啓にはそれが痛いほど分かった。啓の血を飲んでもレヴィンは人間に戻れない。ここでラウルを失ったら、永遠に取り戻せなくなる。

理性では駄目だと分かっていたのに、啓は感情の抑えが利かなくなり、無意識のうちにアダムに向かって足を一歩進めてしまった。

「アデラばあちゃん、ごめん、俺は――」

後ろにいるアデラの顔を見ることができず、啓は打ちひしがれて呟いた。アデラの軽い溜息が聞こえ、「やはりそちらを選ぶのか」と悲しげに吐き出した。

「――ケイ」

その時、静寂の中を冷えた声が割って入った。啓はその声に驚いて足を止め、声のするほうへ顔を向けた。石が積み上がった陰から、ゆらりとマリアが現れた。

マリアは物憂げな顔で啓とアダムの近くへ進んでくる。

「マリア…これは嬉しいな。家族が揃ったじゃないか」

　マリアの顔を見てアダムが目を輝かせた。マリアはにこりともせず啓に歩み寄り、優しい手つきで肩を撫でた。そして思いがけない言葉をアダムに向かって告げた。

「アダム…いいえ、お父様。ケイの代わりに、私が行きます。それで許してあげて」

　マリアの発言に啓は驚いて目を見開き、驚愕に身体を震わせた。まさかマリアは啓の身代わりになるというのか。

「母さん！　そんな…っ」

「お父様は秘密を知りたいんでしょう？　私はあなたの娘よ、ケイより血が濃い。私が仲間になるからケイに《守護者》を返してあげてちょうだい」

　表情一つ変えずにマリアが啓の前に立ちはだかった。思わずマリアの腕を摑み、啓は首を振った。自分のためにそんな真似はさせられない。マリアが身代わりになると言いだすなんて思ってもみなかったので、頭が真っ白になる。母親になれないと言っていたマリアが、自分のために身を挺してアダムと交渉している。じわじわと胸が熱くなって、身体が震えた。

「美しいね、泣けるなぁ。――――でも駄目だよ、マリア」

　ふいにアダムの目の色が変わり、啓はとっさに身構えてマリアの前に回った。アダムは身動き一つしなかったけれど、声音だけで啓を縛りつけた。

「私が欲しいのは《薔薇騎士》であり、私の血を引くケイなんだ。もちろん君にも興味はあるよ。君たちは交渉が下手だな、私の前で弱みを見せるなんて、愚《ぐ》の骨頂《こっちょう》じゃないか…」

　アダムが唇の端を吊り上げた。

「だが美しい親子愛を見せてもらった。そうだな、こうしよう。マリアが私と一緒に来るというなら、ラウルを殺さずにいてあげる――――」

とんでもない言い草に啓はカッとして、拳を上げた。呆れたことにアダムはなにも失わないままマリアを手に入れようとしている。

「ふざけるな！　それじゃ意味がない!!」

啓が怒鳴りつけるとアダムは薄く微笑み、両手を広げた。

「どうして？　君はラウルが《不死者》になるのが嫌なんだろう？　だから私は互いにとって妥協できる提案をしているんだ。マリアが私の元に来るなら、ラウルが死ぬほどの血は飲まないよ。マリアとラウルの命を同等に扱ってあげようというんだ。マリアの心配をしているのかい？　マリアは私の血を引く娘だ。《不死者》たちもおいそれと殺さないだろう」

呆然として啓はアダムを凝視した。アダムは啓より一枚も二枚も上手で、啓は完全に敗北していた。このままだと啓はラウルを取り返すどころか、マリアまで奪われる羽目になってしまう。

「そんな…っ、それじゃ…、そんなんじゃ…」

力だけではなく頭脳でもアダムに太刀打ちできなくて、啓は口惜しくて戦闘態勢に入ろうとした。敵わないと分かっていても、今ここでアダムに闘いを挑む——そんな啓の思いが伝わったのか、啓が動こうとした矢先、マリアが啓の肩を摑んだ。

「それでいいわ」

「母さん⁉」

こんな対等ではない取引を受け入れるマリアに驚き、啓は悲痛な声を上げた。マリアはさりげなく啓の身体を抱き、まるでなだめるように啓の背中を叩く。

「ケイ、心配はいらないわ。私はアダムの傍にいても、身の安全は保障されている。皮肉なことにね」

マリアの囁きに、啓は動揺した。確かにマリアはアダムの血を引くことで、《不死者》の中にいても襲われる心配がない。マリアの血を飲めば、《不死者》たちはレヴィンのように深い眠りに襲われるだろう。いや、啓の血ですらそうなのだから、もっと濃い血を秘めているマリアの血を飲んだら、《不死者》は死ぬか、

おかしくなるかもしれない。

「でも…っ」

マリアの身の安全が保障されていても、なにが起こるか分からないし、それに啓のわがままのためにマリアが犠牲になるのは納得がいかなかった。

「交渉成立だ――――」

晴れやかにアダムが笑い、次の瞬間には腕の中からマリアが消えていた。いつの間にかアダムはマリアを抱え、大きな石の上に飛び乗っている。

「待て、俺は納得してない…っ‼」

アダムを追おうとして啓が走りだすと、黒い影がその間に立ちはだかる。顔を見て元《守護者》のランスロットだと分かった。泣きぼくろのある冷たい顔をした黒髪の男。

「アダム！」

啓は鞭を振りかざし、ランスロットを目の前から消そうとした。さすがに元《守護者》だけあって啓の鞭を軽々と躱し、なおかつ啓がアダムを追えないように攻撃してくる。

「クソ…ッ」

サンダーと共にランスロットを相手に闘っているうちに、アダムは姿を消し、それと分かるとランスロットも風のように消え去った。おそらくランスロットは足止めを命じられていたのだろう。

「アダム…ッ‼」

啓は虚空に向かって声を張り上げた。もう二人の姿はどこにも見当たらない。母まで奪われてしまった。ラウルも取り戻せなかった。やりきれない苦しみに呻いて、啓はその場に膝をついた。

「畜生…っ、畜生…っ‼」

交渉は最悪の形で終わってしまった。啓は自分に腹が立ち、地面の土を掻きむしった。ランスロットの背中を追っていたサンダーが、標的を見失って申し訳なさそうな顔で戻ってくる。

「知ってたのか⁉」

啓は視界に入ってきたアデラに向かって言葉を叩き

つけた。アデラは未来を見通せる。それなら今夜こうなることも、知っていたというのか。

「ばあちゃんは、母さんが奪われるって知ってたのかよ⁉」

　行き場のない憤りをアデラにぶつけ、啓は苦しげに叫んだ。アデラは打ちひしがれる啓を見下ろし、苦い顔つきになった。

「ケイ、嘆くな。お前は今無力さを感じておるじゃろうが、ラウルの命は確かに繋がれたのじゃ」

　ハッとして啓は顔を上げた。

「お前はこれから、あの方を倒すためにまた一段階、強くならなければならん。分かるかね？　お前は時間を手に入れたのじゃ」

　アデラの言葉に吸い寄せられるように啓は立ち上がった。マリアを失い、ラウルを取り戻せなかったショックが大きくて、今はすがるものが欲しかった。どうすればすべて手に入れられるのか、その方法があるならば、小さな一歩でも前に向かって歩みださなければならない。

「お前の前に、幻想の間の扉が開かれる——その出口を見つけた時が、お前がラウルを取り戻せる最後のチャンスなのだよ」

　啓は決意を秘めた眼差しで、アデラの深いしわが刻まれた顔を見つめた。

Ⅲ 再会

幻想の間は啓《けい》にとって大きな壁だった。くる日もくる日も耐え難い幻想に苛《さいな》まれ、一時は前後不覚に陥《おちい》ったこともあったほどだ。試練の間よりもずっと長い時間がかかったが、どうにか乗り越えられた時、啓の前にもう一つの扉が開かれた。

「ここは幽玄の間。この部屋に入るには、供がいる。一人で入っても意味がない部屋じゃ」

アデラはそう告げ、今は入るべき時ではないと語った。

気づけば追放された日から、三年近くの月日が過ぎていた。啓の身長は伸び、少年っぽさは消え、大人びた顔立ちになっていた。

「少し待っておれ」

そう言ってアデラはふらりと消えた。一週間後に戻ってきた時、ラウルが捕らえられている場所の情報を手に入れ、啓の仲間たちが襲われることを予知した。

啓はそれを聞き、この洞穴《どうけつ》へ駆けつけたのだ。

この三年の間に起きた出来事を啓が文也《ふみや》たちに語り終えると、皆が驚きの眼差《まなざ》しで見つめていた。荒唐無稽《こうとうむけい》な話だと笑われるかもしれないと思っていたのに、誰一人揶揄《やゆ》する者はいなかった。啓がラウルを助けるためにアダムの仲間になりそうだったくだりは、文也やアシュレイは本当につらそうに聞いていた。啓を誹《そし》ることもできるのに、皆は黙って啓の選択を受け入れている。

「皆、力を貸してほしい」

暗い洞穴で啓は文也、アシュレイ、エミリー、雄心《ゆうしん》、兵藤《ひょうどう》の顔を順に眺めて告げた。

「ラウルを助けに行きたいんだ」

啓が表情を引き締めて言うと、皆がいっせいに深く頷き、目に力を宿らせた。彼らがこの三年間、どれだけ苦しみを抱いてきたか伝わってくる。ふつふつとしたエネルギーを感じた。

「ラウルはどこに捕らえられているというの？　私たちもずっと捜していたけど見つからなかったわ」

エミリーが身を乗り出し、湿布を貼った足を撫でながら尋ねてきた。

「ハイポジウムの奥。深いところ。一般公開されてない…というか、まだ世間に知られてない場所を、《不死者《アンデッド》》が根城にしているんだ。俺だけじゃ助けられない。皆の力が必要だ。特に兵藤の力が……ラウルはひどい怪我《けが》を負っているだろうから、すぐにでも処置してほしい」

啓が見つめて頼むと、兵藤は胸を叩いて了承する。

「お任せください。全身全霊を傾けて、ラウル殿を助けます」

「頼む。忍び込む日は、次の日曜の朝日が昇る前だ。それまでルイスに気づかれたくないから、皆は一度薔薇《ば》騎士団《らきしだん》に戻ってくれ。文也は皆が出かけた後、バートンたちに事情を説明してほしい。待ち合わせ場所はタルシーン神殿の前だ。遅刻するなよ？」

啓が指示すると、皆の顔が興奮してくる。特に文也は啓の成長を感じてか、目頭を熱くしていた。

「今日は我々は《不死者》に会ったけれど、命からがら逃げ延びた、という体裁を取り繕いましょう。ルイスは我々が死ななくてがっかりするかもしれませんが」

アシュレイがヒビの入った眼鏡《めがね》を外し、おかしそうに笑う。

「演技じゃなくて、実際にそうだもの」

ルイスに疑惑の目を向けてやるわ」

エミリーがにやりと笑って答える。その隣にいた雄心も黙って首を縦に振った。

「それじゃ、俺はもう行くよ」

啓は腰を上げ、入り口に向かって歩きだした。それを止めるように文也が声をかけてきた。振り返ると、文也が目を細めて啓を見つめている。

「啓、ありがとう。私たちは本当にお前が戻ってくるのを待ち望んでいたんだ――どうかルイスの悪事を暴いてくれ」

ルイスの悪事を暴いてくれ、と言われ、啓はかすかに眉を顰《ひそ》めた。それは正しいことなのだろう。だがルイスに力を貸したのはアダムだ。影の首謀者はルイスではない。しかしその一方でラウルをこんな目に遭わせたルイスに対しては、激しい怒りが沸き起こるのもまた事実だった。アダムは人の心の操作に長《た》けている。長年生きてきたせいか、どうすれば人が動くのか心得ているのだ。アダムの望んだ通りに動くのは気に入らないが、今はこうするしかない。

「日曜に」

啓はそれだけ告げて、サンダーと洞穴から出た。外は日が暮れかけていて、啓は人目を忍びながらスティーブンの屋敷に戻った。

スティーブンの屋敷は、ゴゾ島の中心ヴィクトリアより北のシャイラ村にある。丘の上に建つ大きな屋敷には信頼できる使用人が数人いるだけだ。スティーブンがひねくれているせいで、新しい使用人は三カ月と保《も》たずに辞めていく。暮らしているのはスティーブンだけなので、大勢の使用人は必要ないそうだ。

啓はいつも屋敷の裏手の生い茂った草で目隠しされた洞穴から入る。洞穴はちょっとした迷路になっていて、道を覚えた啓にはなんてことないが、初めて入る者は必ず迷う造りになっている。洞穴から地下のカタコンベに潜り、啓はいつも暮らしている狭い部屋に戻った。

「サンダー、ほら」

サンダーのために餌皿《えさざら》に餌を入れ、食事を与えた。サンダーは嬉しそうに餌を頬張っている。

啓はサンダーを見やりながら、久しぶりに会えた仲間たちの顔を思い出していた。殺されただけではなく、《不死者》にされたポールやシスターアンジー、オルテンシアを思うと、身の内に嵐が巻き起こる。アダムが薔薇騎士団に放り込んだ異物は、想像以上の効果を発揮している。アシュレイたちが受けた苦しみを思うと、胸が痛い。

『会いたくないのですか？　レヴィンはあなたを捜しています』

アシュレイの言葉を思い出し、啓はまた胸が苦しくなった。

レヴィンは目覚めたのだ。会えばよかっただろうか。会いたい気持ちは強いが、今の啓はレヴィンに顔向けできないという思いを抱えている。アダムの仲間になることを受け入れようとした瞬間から、啓はレヴィンを裏切ったような気がしてたまらない。レヴィンがあれほど憎み、滅ぼそうと誓った男の手を取ろうとしたなんて。そんな状態で会っても、まともな会話ができるとは思えなかった。

（レヴィン…）

啓の血を飲んで身体に異常はなかったのだろうか。ぼんやりとそんなことを考えていた啓は、ふっと右手が熱くなり、身体を硬くした。

《不死者》が近くにいる。

一瞬アデラかと思ったが、アデラにしては動きが速い。それに杖の音が聞こえない。アデラもレベル２の《不死者》なのだが、外出した際に人から不審がられないためにわざと杖をついている。ふだんから癖をつけておかないと、うっかりした時に嘘を見破られてしまいそうで、どんな時でも杖をついて歩いているのだ。

啓はベッドの上に置いた長い剣を手に取り、部屋から飛び出した。洞穴に入るところを誰かに見られてしまったのだろうか？　啓が素早く動くと、サンダーが顔を上げて駆け寄ってきた。サンダーに待て、の合図をして、注意深く右手の反応を見た。刻印は不思議な反応を見せている。強烈な熱さではない、じわりとくる疼《うず》きだ。

石造りの廊下をなるべく音を立てずに進み、右手が反応するほうへと足を向けた。石造りの床から二股に分かれる道があり、啓は左手に折れた。地面は土に変わり、洞穴に繋《つな》がる道に入る。カーブを描く場所で《不死者》の気配を感じ、啓は様子を窺《うかが》うために壁に身を隠した。

　そっと覗いて、身を震わせた。

「レヴィン…」

　思わずその名前を口に出し、啓は剣を落とし、壁から身を離した。こちらに向かって歩いていたレヴィンが啓に気づいて、目を見開く。薄暗い洞穴の中でも、レヴィンの姿はよく見えた。金の髪を肩に揺らし、氷のように冴えた眼差しで啓を見つめてくる。レヴィンはあっという間に間合いを詰め、啓の前に立った。啓自身、身長が伸びたと思っていたが、レヴィンのほうがまだわずかに高い。黒っぽい衣服を身にまとい、透明度の高い海のような色の瞳を啓に注ぐ。

「啓…」

　レヴィンが目を細め、興奮と不満をないまぜにした表情で啓を見据《みす》えた。

「アシュレイからここにいると聞いた。——何故俺を避ける?」

　啓が視線を逸らしたのを見て、レヴィンは手を伸ばして啓のうなじを引き寄せた。啓は小さく抗ったがレヴィンの胸に頭を抱え込まれ、つい腰に手を回してしまった。傍にいると、胸が高揚してなんとも言えない充足感に包まれる。久しく忘れていた感覚だ。

「レヴィン…」

　一時は失ったと思ったレヴィンの肉体が、そこにある。啓は耐え難い感情に支配され、レヴィンにぎゅっと抱きついた。レヴィンのしなやかな腕が啓の背中に回る。その手のひらが啓のうなじに回り、啓は驚いて身を引いた。

「どうして…?　体温が…」

《不死者》であるレヴィンの手は冷たいはずなのに、今は人と変わらないくらいの体温を持っている。一瞬レヴィンが人間に戻れたのかと心が浮き立ったが、すぐに右手の熱さがそれを否定した。啓の問いに答えるようにレヴィンが自嘲気味に笑う。

「俺はアダムに近づいてしまったようだ…」

　レヴィンは低く呟き、再び啓の身体を抱きしめた。

《薔薇騎士《ローズナイト》》の血を多く飲んだアダムは、人間と似た生態だと聞いた。レヴィンもそうなってしまったというのか。

「ごめん、レヴィン…。ごめん…」

深い罪悪感に襲われ、啓はきつくレヴィンの身体を抱きしめて謝った。啓の匂いを嗅《か》いでいたレヴィンは、何度も謝り続ける啓の顎《あご》を持ち上げた。

「レヴィ…」

ごめんと言いかけた唇を、レヴィンが強引にふさいでくる。身をよじって避けようとしたが、レヴィンの腕に抱え込まれ、深く唇が重なった。いけないと思いつつ唇が触れ合うと、心地よさに満たされ、抗う力が弱まっていく。レヴィンは啓の唇を濡らすように、キスを続けた。

「…俺は目覚めた時から、ずっとお前だけを求めていた。啓、俺の世界にはお前しかないのに、お前に拒絶されたらどうすればいい…？」

爆発しそうな心を無理やり抑え込んだみたいに、レヴィンは瞳を強く揺らめかせて啓を見つめた。

「…俺のいない間に、ラウル一人を愛すると決めたのか？」

かすれた声でレヴィンに聞かれ、啓は驚いて首を振った。レヴィンがそんなふうに考えているなんて思わなかった。

「違うよ、そうじゃない。俺は二人とも同じくらい好きだって言っただろ？　今も変わりないよ」

「それでは何故？」

安堵と不満を混ぜ合わせ、レヴィンに囁《ささや》かれる。啓は顔を歪めた。どう言えばいいか分からない。自分のこの気持ちを。あらゆる感情が渦巻いて、理解してもらうのは難しい。

「……俺だって会いたかったよ。レヴィンが目覚めてくれて本当に嬉しかった。レヴィンに血を飲ませてしまって……ずっと死ぬんじゃないかって苦しかったから…」

目が潤んでしまって、啓は頭をレヴィンの肩に押しつけた。約三年前、啓はレヴィンに自分の血を飲ませた。レヴィンが人間に戻れるのではないかと期待して。結果は逆で、レヴィンは死に近い眠りを余儀なくされた。

あの時自分があんな真似をしなければ、後に起きたすべての出来事はなかったかもしれない。ラウルとレヴィンがいれば、ルイスからもアダムからも上手く逃げおおせたのではないか。考えても詮無《せんな》いことだが、あの日の後悔はずっと啓につきまとっている。ラウルを助けられない今は、特に。

「俺は死んでもよかった」

レヴィンの指先が啓の目元を拭《ぬぐ》い、啓が顔を上げると請うような瞳とぶつかった。

「お前に殺されたいと願っていたから…。その願いは叶わなかったがな…、俺にはまだやるべきことがあるようだ」

「レヴィン…」

自嘲的な笑みを浮かべるレヴィンを見ていると、啓は黙っていられず口を開いた。

「レヴィン、俺、アダムの仲間になろうとした」

啓の低い声音に、レヴィンが身体を離した。レヴィンの瞳が一転して疑惑に染まる。啓はその目を見ていられなくて、うつむいて言葉を絞り出した。

「俺はレヴィンを裏切ろうとした。結果的にはそうならなかったけど、……そんなの、レヴィンは許せないだろう？」

「どんな理由があって？」

啓の顎に手をかけ、レヴィンが信じ難いという顔で問いかけた。無理やり顔を上向かせられて、啓は苦しげにレヴィンを見つめた。

「啓、確かに俺はお前がアダムの仲間になるなんて認められない。なにがあった？　お前が打算的な理由でアダムの仲間になるとは思えない。理由を言ってくれ」

レヴィンは変化している、と啓は感じた。感情がコントロールされている。以前のレヴィンは自分の感情が抑えきれず、よく爆発していた。聞いたとたん怒ると思ったのに、レヴィンは理性で感情を抑制している。

「ラウルを助けるために…」

だがそれも啓の答えを聞くまでだった。啓の答えを聞いた瞬間、レヴィンは苦痛に顔を歪め、身体を硬くした。激情に駆られると思ったレヴィンだが、かろうじて堪《こら》えたようだ。震える吐息をこぼし、身の内を走り回る嫉妬の炎を抑え込んだのが分かった。

「……赤毛になにが起きたかは、アシュレイから聞いている。啓、たとえどんな理由があろうとも、アダムの仲間になるのは認めない。あの男はお前の手に負える相手じゃないんだ。仲間になったが最後、骨《ほね》の髄《ずい》まで搾《しぼ》り取《と》られる」

「でも俺の…祖父だよ。それに俺は…」

「惑わされるな！」

レヴィンに強い口調で叩きつけられ、啓はびくりとして身を震わせた。レヴィンは怒鳴った自分を恥じるように啓を抱き寄せると、深く息を吐き出した。

「……啓、頼むからアダムの仲間になるのだけはやめてくれ。俺はお前の敵にはなりたくない。あの男こそエリックの命を奪った奴なんだぞ⁉　どうしてそんな奴の仲間になど！」

はっきりとレヴィンに言い切られ、やはりレヴィンは啓がアダムの仲間になるのを認められないのだと知った。同時に自分がアダムに対して、レヴィンほど憎しみを抱いてないというのが分かってしまった。アダムは敵だし、いずれ倒すとは思っているものの、啓はアダムに対して復讐心《ふくしゅうしん》といったものはない。《不死者》とはいえアダムが《薔薇騎士》だからだろうか？　自分でも自分の心が分からず、混乱した。

レヴィンにとってはまずアダムという大きな敵がいて、なにがあっても啓の味方になってくれるわけではない。レヴィンが今もこうして動いているのは、アダムを倒すためだ。父を死に追いやった者への仇討《かたきう》ち——啓はレヴィンと自分の意識が少しずれていることに不安を抱いた。このずれは、いつかレヴィンと自分の距離を大きくしてしまうのではないか。それが怖い。

「レヴィン、俺はアダムを――」

　自分の気持ちを分かってもらおうと開いた口を、強引にふさがれる。啓が抗うと、その腕ごと抱きしめられ、かぶりつくようなキスをされる。キスの最中にレヴィンの手のひらが胸元を這い、啓は懸命に身を引こうとした。

「ん…っ」

　シャツのボタンが外され、隙間から手が差し込まれる。その指先が、首にかかっていたネックレスに気づき、止まった。レヴィンは鎖を辿り、二重にかかった指輪と、メダイを弄《もてあそ》ぶ。メダイはラウルからもらったもの、二重の指輪は二人の《守護者《ガーディアン》》からの贈り物だ。どれも大切なものだから、三年前から一度も外したことはない。

「啓……」

　レヴィンの指先が鎖から離れ、乳首をきつく摘む。忘れていた感覚がふいに戻ってきた。

「レヴィン…ッ、ダメ…―」

　抱き合っている場合ではないと思い、必死に身をよじるが、レヴィンの指が乳首を摘み、股の間に強引に入ってきた足が股間を押し上げると、強烈な快楽が啓を襲った。誰かにこんなふうに触られるのは、三年ぶりだ。それどころではなかったし、毎日過酷な日々で自慰に耽《ふけ》る余裕もなかった。レヴィンの手や足が敏感な場所を刺激してくると、啓は耐え難い甘美な感覚に流され、息を詰めた。

「ダメ、だ…ってば…」

　キスの合間に抵抗するが、乳首を強く摘まれただけで、ジンジンとそこが疼いてくる。啓が言葉をつむぐのを阻止するかのようにレヴィンは深く唇を重ね、乳首を指先でこねていく。レヴィンは啓が駄目と言うたび、苛立った顔を見せ、愛撫の手を強めてきた。ズボンの中で刺激されて下腹部が熱を持ったのが分かる。啓はレヴィンから顔を背け、苦しげに息を吐き出した。レヴィンの唇が首筋をきつく吸い、思わず呼吸が止まる。

「レヴィン…ッ」

　レヴィンの足でずりずりと股間を揺さぶられ、啓は悲鳴に似た声を上げた。布越しにもそこが張っているのが分かる。今さらやめろと言っても、啓の命令はもう届かないだろう。ずっと忘れていた快楽の種をほじられ、啓は息を喘《あえ》がせた。

「欲しい…、啓、今は抗うな…」

　レヴィンが薄い唇を首筋に押しつけて、請うように囁く。

　レヴィンの囁きは、まるで呪縛のように啓の抵抗を止めた。レヴィンは拒絶されたら爆発しそうな目になっている。違うと言っても、レヴィンはまだ啓の心を疑っているのだ。

　啓の抵抗がやむと、すぐにレヴィンは啓のズボンのベルトを外し、性急に下着ごと下ろしていく。

「んん…ッ」

　レヴィンは目の前に膝をつくと、勃起した性器をいきなり口に銜《くわ》える。啓は切羽詰まった声を上げ、よろめいて岩の壁に背中を預けた。レヴィンは啓の性器を手で支え、深く奥に引き込む。今まで思い出さなかったのが不思議なほど、レヴィンは啓から簡単に快感という抗いがたい欲求を引きずり出した。甘い痺れを与えられ、息を大きく吐き出す。レヴィンの口で性器を上下されると、息が荒くなり、変な声が上がりそうになる。

「う…っ、ふ…っ、は、ぁ…っ」

　洞穴内に啓の乱れた声が響き渡った。誰かに聞かれたらどうしようと鼓動が速まる。レヴィンは啓の気持ちなどおかまいなしに、音を立てて性器をすする。

「レヴィ…、ん、ぅ…っ、はぁ…っ」

　レヴィンは啓の性器が完全にそそり立つと、手で支えながら裏筋やカリの部分に執拗《しつよう》に舌を這わせてきた。気持ちよくて足ががくがくしてくる。レヴィンの口内に温度があるせいで、以前より数倍気持ちいい。啓はレヴィンの舌の動きにびくりと腰を震わせ、熱い息をまき散らした。

「あう…っ」

目を閉じて快楽に身を委《ゆだ》ねたとたん、レヴィンの指先が背後に回り、尻のすぼみをぐっと押してきた。つい啓が甲高い声を上げると、レヴィンは指を唾液で濡らして、強引に奥へと埋め込んでくる。

「や…っ、あ、ぁ…っ」

それまでも気持ちよかったが、指で内部の感じる場所を擦られると、抑えがたい射精感が高まった。

「ずいぶんきつくなってるな…」

啓の性器から顔を離し、レヴィンがどこか嬉しそうに呟く。入れた中指を揺らされ、啓は真っ赤になって身をよじった。以前何度もそこを二人の男に犯された。刺激されてまざまざとそれを思い出し、啓は甘く呻《うめ》いた。

「やだ…、レヴィン…」

こんなふうになしくずしに快楽に身を委ねてしまうのに抵抗があって、啓は涙目でレヴィンを見つめた。

するとレヴィンの揺れる瞳に残酷な光が宿り、後ろから指が抜かれる。

「俺を嫉妬で狂わせる気か…？」

レヴィンは立ち上がると、啓の身体を反転してきた。レヴィンがなにを言いたいのか分からず乱れた息で振り返ろうとすると、下肢をくつろげる音がする。すぐに尻のはざまに熱が押しつけられた。

「レヴィン…ッ？」

驚いて声を上げると、レヴィンが強引に先端を押し込んできた。

「ひ…っ、ぅ、あ…ッ」

まだ開いてない尻の穴に、レヴィンの熱がめり込んでくる。レヴィンが力ずくで啓を犯すのは初めてで、その恐ろしさに啓は身を震わせた。レヴィンは息を荒らげながら、乱暴に啓の中に性器を突っ込む。繋がった場所が痛みを発し、啓は引き裂かれるような苦痛に身悶《みもだ》えた。

「レヴィン…ッ、痛い…っ」

　啓が痛くて前のめりになると、レヴィンの腕が前に回り、無理やり抱きしめられる。レヴィンは腰を揺らすようにして啓の内部にどんどん侵入してくる。犯された場所が痺れるように熱く、抗う腕も押さえつけられ、啓はとぎれとぎれに息を吐いた。

「レヴィン…、怒ってるのか…？」

　愛撫の仕方が以前と違い荒々しくて、啓は声が上擦りそうになるのを堪えながら問いかけた。レヴィンはかすかに苛立った息を吐き、ぎゅっと乳首を強めに摘んだ。

「んう…っ」

　痛みのあとにじんじんとした疼きが生まれる。

「お前の心が俺一人のものではないのは、分かっているつもりだった…。だが……」

　耳元でレヴィンが苦しげな息と共に呟く。やっぱりレヴィンはアダムの仲間になりかけた啓に憤《いきどお》りを感じているのだろうか。

　レヴィンは啓の耳朶《みみたぶ》に鼻先を押しつけ、低く笑った。

「血が出てるな…」

　レヴィンの声に驚いて啓は身を硬くした。繋がった場所が裂け、出血したのがレヴィンには匂いで分かるのだろう。以前のレヴィンは、啓の血に反応しておかしくなった。またそうなってしまうのだろうか――怯《おび》えた啓に、レヴィンが薄く笑う。

「大丈夫だ…、今の俺はコントロールできる…」

　耳元で囁き、レヴィンが浅い場所を揺さぶってきた。

「う…っ、くっ。はぁ…っ、痛い…」

　レヴィンが動くと、繋がった部分が痛い。けれど頭の芯を焼き尽くすような快楽に似た感覚もあって、啓は激しく身を震わせた。

「ん…っ、う…っ」

　レヴィンの指が啓のシャツを全開にして、指先で両方の乳首を弾いてくる。

　最初は痛さのほうが上回っていたのに、奥を擦られ、乳首を執拗に弄《いじ》られているうちに快楽が上回ってきた。

「や…っ、ぁ…っ」

乳首を潰されたかと思うと、擦りながら引っ張られる。しだいに啓の声が甲高くなり、レヴィンの動きも速くなっていく。

「ああ…気持ちいい…、お前の身体は甘く蕩《とろ》けるようだ…」

呼吸を速めながらレヴィンがうっとりした様子で言う。耳朶を軽く噛まれ、ぞくりとした甘さが背筋を這い上った。ほとんど無理やり犯されたというのに、すでに啓は甘い声しか上げられなくなっていて、そんな自分が嫌でたまらなかった。

「もうやだ…、ぁ…っ、あ…っ」

潤んだ目で壁の岩にもたれかかると、啓は膝を震わせた。まだズボンは足首の辺りで留まっていて、動きを制限する。揺れている性器の先からは先走りの汁が垂れ、今にも暴発しそうだ。

「いい匂いがする…」

レヴィンが鼻をひくつかせ、急にずるりと性器を引き抜いた。大きなモノが抜け出る感触に啓は甲高い声を上げた。レヴィンはやおらしゃがみ込むと、啓の尻たぶを広げ、舌を這わせてくる。

「レヴィン…ッ⁉」

指ですぼみを広げ、レヴィンが舌を敏感な場所に潜り込ませる。舌先が内部に入り込んできて、啓は太ももをぶるりと震わせた。指では得られない感触に、引《ひ》き攣《つ》れた声しか出ない。

「や…っ、あっ、あっ、あ…っ、いや…ぁ…っ」

強烈な甘い感覚に啓は翻弄《ほんろう》された。レヴィンは啓の血を舐めるようにする。ぴりっとした感覚が余計に感度を高め、立っているのがやっとなほどだ。レヴィンの舌が体内に潜ってくると、腰が勝手に揺れて下腹部が痛いほど張りつめる。

「ひ…ぃ、あ…っ」

レヴィンがあらぬ場所から滲《にじ》み出《で》る血を、すする音がした。啓はとてつもなくいやらしいことをされている気がして、今にも絶頂に達しそうになった。

「イきそうだな…、出していいんだぞ」

意地悪くレヴィンが性器の先端を撫で、広げた内部に深く舌を入れてくる。促すように性器を擦られ、啓は我慢できなくて四肢を震わせた。

「ひあぁ…っ」

一瞬前のめりになってしまったせいか、射精したとたんレヴィンの舌がぬるりと抜けた。白濁した液が一気に吐き出される。思った以上に大量の精液が吐き出され、啓は頭がかぁっと熱くなり痙攣《けいれん》した。

「ひ…っ、は…っ、ぁ…っ」

啓は壁によりかかるようにして、激しく呼吸を繰り返した。どっと汗が噴き出て、全身をけだるい感覚が襲う。その場にしゃがみ込みたい欲求を覚えたが、まるでそれを阻止するようにレヴィンが立ち上がり、啓の腰に手を回す。

「ひあああ…っ」

再びレヴィンの性器が挿入され、啓はあられもない声を響かせた。ずんと奥まで犯され、脳が蕩けるほどの甘い痺れを感じた。レヴィンは啓が落ち着く間もなく、また身体を揺さぶってくる。

「はぁ…っ、啓…っ」

レヴィンが小刻みに奥を突く。濡れた性器が震え、啓は半ば背後のレヴィンに身体を預ける格好になった。身体が熱くなりすぎて、もう立っていられない。それを目敏くレヴィンが察して、背後から啓の身体を支えてくる。

「や…っ、あ…っ、あっ、あっ」

絶頂直後の内部を強く穿《うが》たれ、声が抑えられなくなっていた。レヴィンの息遣いが乱れ、興奮をそのまま啓に伝えるように内部を掻き混ぜてくる。啓はめちゃくちゃに身体を揺さぶられ、悲鳴じみた泣き声を上げるしかなかった。

「やぁ…っ、あぁ…っ、ひ…っ、はぁ…っ、はぁ…っ」

啓の乱れた声に煽《あお》られ、レヴィンの動きが速まっていく。それがピークになった頃、レヴィンが低い呻き声を上げて内部にどろっとした液体を吐き出してきた。

「ひ…っ」

自分の中に男の欲望を吐き出される感覚――懐《なつ》かしい興奮に啓は身を仰《の》け反《ぞ》らせて崩れ落ちた。

レヴィンの熱っぽい息、抱きしめられる力強い腕、三年前に戻ったような既視感を覚え、啓は目眩に囚われた。


レヴィンの熱がずるりと抜き出され、啓は呻き声を上げてその場に頽《くずお》れそうになった。

すかさずレヴィンの腕が啓を支え、ハンカチであらぬ場所を拭かれる。このままなし崩しに何度も抱かれてしまうのではないかと怯えたが、レヴィンは自分と啓の衣服の乱れを直し、よろける啓を腕の中に収めた。

「啓…」

レヴィンはまだ熱っぽい息を吐き、しばらく啓を腕から離さなかった。体温のあるレヴィンに抱かれるのは変な感じだ。妙な生々しさを覚えて、なかなか鼓動が治まらない。

「レヴィン…、俺は無理やりやられるのは嫌だ…」

レヴィンの態度から苛立ちが消えたのを感じて、啓は顔を背けて少し拗《す》ねた口調で告げた。レヴィンは途中わざと啓を痛めつける行為をした。レヴィンらしくなくて、あまり歓迎できないし、自分を苦しめたいのかと思うとやはり心が痛む。啓の文句に対して、レヴィンは無言で身体を離し、再び目に不満の色を浮かべた。

「……」

レヴィンの物言いたげな表情を見るのが嫌で、啓は目を逸らした。ぎこちない空気が流れ、自分でも自分らしくない感じがして啓はもどかしくなった。

「…奥に部屋があるから…」

ここで話すのは落ち着かない気がして、啓は奥へ行こうとレヴィンを誘った。するとレヴィンは啓を横抱きに抱え、歩きだす。

「レヴィン…、歩けるよ」

まだ情事の余韻は残っているが、こんなふうに大事にされるのも恥ずかしい。啓が抗うと、レヴィンはゆるく首を振り、しっかりと啓を抱える。

「じっとしてろ」

レベル2の《不死者》であるレヴィンは、常人を超えた力を持っていて、啓の身体くらいは軽々と運んでしまう。道案内をしろと言われ、啓はレヴィンの腕にぐったりと身を預け、自分が居住している奥へと案内した。

待て、の体勢のまま待っていたサンダーは、レヴィンが現れたとたん、ギャンギャン吠《ほ》えてレヴィンの足首に嚙みついた。慌てて啓が大人しくさせると、不満げな顔でレヴィンの足から口を離す。レヴィンは《不死者》なので嚙まれてもたいしたことはないだろうが、そろそろサンダーにはレヴィンが敵ではないと認識させたかった。

体温が戻っても吠えるということは、サンダーは《不死者》の匂いに反応しているのだろうか？　アデラには慣れたのだし、レヴィンにも慣れてほしい。

ベッドに下ろされ、啓はまだ余韻を引きずる身体を持て余して膝を抱えた。シャワーを浴びて身体を綺麗にしたい。まだあちこちにレヴィンに触れられた感触が残っていて、心が鎮《しず》まらない。

「啓…」

ベッドに腰を下ろしたレヴィンが、啓の頬にそっと触れる。レヴィンの手が冷たくないのが不思議だ。啓は視線をうろつかせた後、じっと自分を見ているレヴィンの青く冴えた瞳を見つめ返した。

「俺に抱かれるのは、もう嫌か？」

静かな口調でレヴィンに聞かれ、啓は言葉に詰まって下を向いた。張りつめた空気に鼓動が速まって、この空間にレヴィンといるのがいたたまれなかった。

「レヴィンが嫌…とかじゃないんだ…」

自分でももやもやした心を見極められなくて、啓は膝に顔を埋《うず》めた。

「でも…ラウルが苦しんでいるのに、自分ばかり気持ちよくなりたくないんだよ…」

レヴィンは怒るかもしれないと思ったが、啓は正直に気持ちを吐露した。こうしている今もラウルはアダムに捕らえられて生死の境を彷徨《さまよ》っている。それなのに自分だけがのうのうと生きているのがつらかった。

「ラウルはお前が苦しんでいても喜びはしない。それは自己満足だろう。お前は以前もスコットと金山《かなやま》を亡くした後に罰を欲していた。そんなものは――」

「分かってるよ！」

最後までレヴィンの説教を聞きたくなくて、啓は大声で怒鳴った。サンダーの耳がぴんと立ち、レヴィンに対して唸《うな》り声《ごえ》を上げる。

「分かってる…、自己満足だよ」

啓の声から力が失われると、レヴィンの手が優しく抱き寄せた。最初は身体を強張らせていたが、やがてレヴィンの肩にもたれかかった。《守護者》であるレヴィンの傍にいると、張りつめた心の線が弛んでしまう。なにもかも任せて頼りたくなる。どんなに弱気になっても、まだ駄目だ。ラウルを助けるまでは弱音は吐けない。

「……悪かった」

しばらく啓の髪を撫で、レヴィンがぽつりと呟いた。

「お前が大変な時に傍にいなかった俺が悪い」

「だって俺のせいじゃん…」

拗ねた声で啓が返すと、かすかに笑ってレヴィンが啓のこめかみに唇を押しつける。

「…いや、俺たちはルイスが偽物だと知っていた。打てる手はいくらでもあったはずなんだ。部外者だからと傍観していた俺にも責任がある。――お前の憂《うれ》いを晴らすために、ラウルを助けなければな」

レヴィンの声が、以前と同じ優しい響きを持ったので、啓はホッとする。レヴィンがラウルを助けに行くと言ってくれたのが、なにより嬉しかった。レヴィンが加わってくれれば百人力だ。

啓の髪を撫でていたレヴィンの手の動きが、ふと止まった。

レヴィンが通路に向かって身構えたので、啓は慌ててその腕を引っ張った。アデラの足音がする。レヴィンは匂いで《不死者》が近づいているのを察知したのだろう。

「レヴィン、敵じゃないよ」

啓の言葉にレヴィンがいぶかしげな顔で、警戒態勢を解《と》いた。ややあって杖をついた老婆が現れ、レヴィンは見定めるようにアデラを見下ろした。

「ほう。レヴィンかい。役者が揃ったというところかのう」

アデラはしわがれた面をレヴィンに向け、なにもかも見通す不思議な双眸《そうぼう》でレヴィンを見返した。

「レヴィン、紹介する。アデラばあちゃんだよ」

「アデラ⁉」

啓が名前を告げると、レヴィンは驚きの眼差しで振り返った。よほど意外だったのか、アデラの傍に歩み寄り、強張った表情で「《先視の声《ヴォイス》》のアデラか⁉」と叫ぶ。

「《不死者》になっていたというのか！　知らなかった……まさか、アダムに……？」

レヴィンは警戒した様子でアデラから離れると、眉を寄せて啓の近くに立った。どこか困惑した表情を浮かべるレヴィンに、啓は問いかけた。

「アデラばあちゃんを知ってるの？」

レヴィンは啓より過去の薔薇騎士団に詳しい。啓の問いにレヴィンは驚きを隠せないというそぶりで頷く。

「《先視の声》は今までに二人しか現れていないと聞いている。アデラは二代目総帥の時代に活躍していた女性だ。闘いの最中に、行方知れずになったと伝説のように語られていたが、《不死者》になっていたとは……。大方アダムがその能力を欲しがったのだろう」

アデラを見てレヴィンが皮肉げに笑う。アデラはコツコツと音を立てて椅子まで来ると、まるで人間みたいにつらそうに自分の肩を叩いた。

「まぁそんなところさね」

「ここにいるということは、アダムを倒すためだな？」

啓を陥《おとしい》れるつもりなら、アデラといえど容赦はしない」

油断なく見据えるレヴィンの迫力に、啓はびっくりして割って入った。

「レヴィン、アデラばあちゃんは俺がアダムを倒すために力を貸してくれているんだ。なんでそんな喧嘩腰《けんかごし》なんだ？」

レヴィンはアデラに対して警戒を解かない。アデラに注ぐ視線は厳しく、先ほどから常に間合いを取ってアデラと接している。

「未来を見通す力など、ないほうがいい。そういった力は状況を混乱させ、思い込みと疑惑を増長させる。啓、お前は誰にでも気を許すから心配なんだ」

レヴィンは腕組みして告げると、諭すように啓を見つめた。

「アデラばあちゃんは俺を助けてくれたよ」

「優しげなふりをして近づくのは、敵の常套手段《じょうとうしゅだん》だ」

啓が必死にアデラを庇うと、それが気に食わないのかレヴィンの眼差しがますます冷ややかになっていく。啓にはアデラが自分を騙《だま》しているとは思えなかった。アデラのすべてを知っているわけではないが、アデラは今のところ啓に対して悪いことはしていない。

「ほっほ。レヴィンは心配性だのう。まぁ《薔薇騎士》が無垢《むく》な子どもだからしょうがないのかもしれんな。ケイは陰謀とは縁遠い性格をしておる。傍にいる者が警戒するのは間違っておらん」

アデラはレヴィンの態度を気にした様子はなく、楽しそうに笑っている。無垢な子どもとは自分のことか。もう二十一歳になったのに、まだ子どもと呼ばれるのか。

「スティーブンが隠れ家として別荘を手配してくれたぞえ。無事ラウルを救出した際には、そこで過ごすといい」

日曜の話になると、アデラが思い出したように教えてくれた。

「ここには連れてきちゃダメなの？」

スティーブンの屋敷には連れてこられないと知り、啓はがっかりして言った。

「ここではすぐにルイスに捕まる。ラウルが自由になれば、さすがにあの方もこれまでのようにお前を見逃すわけにもいくまい。ラウルの怪我は二日や三日で治る類のものではない。隠れ家に移ってからも、お前の仲間に周囲の監視を頼むほうがええのう」

アデラの言葉は予知も含んでいるのか、啓にとっては背筋が寒くなるものだった。ラウルがどれほどの傷を負っているのか考えるだけで胸が苦しい。今すぐに助け出したかった。

啓は未来の視《み》えるアデラに「無事ラウルを救出できるのか」とこれまでに何度も問いかけた。だがそのたびにアデラは「すべてお前次第」という、どうとでもとれる答えしかくれなかった。

レヴィンは未来を見通す力などないほうがいい、と言うが、それは確かに一理ある。アデラの宣託《せんたく》を聞きたくて仕方なくなるからだ。これまで自分で運命を決めてきたはずなのに、アデラという能力者がいるだけでその指示に従いたくなる。

「レヴィン、力を貸してくれ」

啓は改めてレヴィンに告げると、日曜の救出劇に関して細かく打ち合わせた。ハイポジウムの奥の地形は、おぼろげにしか分かっていない。どれだけ《不死者》がいるかも分からないし、どんなアクシデントが起こるかも不明だ。

失敗は許されない。

啓は顔を引き締めてレヴィンと長く話し合いを続けた。

Ⅳ　救出

まだ日の昇らない真っ暗な街を駆け抜けた。

啓《けい》は黒い衣服に身を包み、朝日が昇り始める手前の時刻にタルシーン神殿に立った。ここにある大きな石の一つをどかすと、ハイポジウムに繋《つな》がる道があるとアデラは教えてくれた。

　ハイポジウムは紀元前３８００年頃から２５００年頃に地下十一メートルの場所に造られた謎の多い地下神殿だ。住宅街にある入り口は、白い壁面にドアがあるだけの至って簡素なものだ。打ち合わせ通りにレヴィン、アシュレイ、雄心《ゆうしん》、エミリー、兵藤《ひょうどう》が集まった。もちろんサンダーもいる。それぞれ目立たないように黒っぽい服を着ているが、兵藤はいつもの紺色の作務《さむ》衣《え》だ。

　アデラから聞かされた石をレヴィンにどかしてもらうと、空洞が現れて、地下への道が生まれた。内部に忍び込み、奥へと向かった。アシュレイたちが持ってきた懐中電灯で道を照らして進むと、時々壁に小さな覗き穴があって、そこから見学通路が見えた。

　アシュレイとエミリーは神経を集中させて、《不死《アンデッ》者《ド》》の居場所を探ろうとしている。地下墳墓《カタコンベ》にいる《不死者》は見つけにくいと以前から言っていた通り、ここで能力を発揮するには二人は多大な努力を要する。ここは七千体もの人骨が見つかった場所だ。レヴィンは同類である《不死者》の匂いを嗅《か》ぎ取《と》れるが、地下では遮断されている場所が多くて匂いが届きにくいようだ。

「どこか、奥に繋がっている場所があるはずだ」

　啓が指示してそれぞれ動き回る。ハイポジウムの内部はいくつもの部屋に分かれているのを、徹底した管理のもとに公開されている。啓たちは一般公開されていない場所まで侵入し、注意深く気配を探った。

まだ修復途中の細い通路を抜け、啓は全神経を張り詰めて進んだ。

「足音が聞こえるわ…」

目を閉じて耳を欹《そばだ》てていたエミリーが、低い声で呟く。同時にアシュレイも、眉間《みけん》に手を当て、北の方角を示す。

「この先五百メートルほどの距離に、《不死者》が二人、見えました」

二人の情報を得て、啓は通路の途中にある、少し窪《くぼ》んだ場所まで進んだ。壁は硬い岩でできており、とても人間の力では崩れそうにない。

「レヴィン、頼む」

啓が潜めた声で手招くと、レヴィンは無言で岩壁の前に立ち、拳《こぶし》を突き出した。硬い岩を破壊する音が地下に響いた。小刻みな揺れが治まらないうちに、レヴィンは二度三度と岩壁を叩き割る。石や粉塵《ふんじん》が舞い上がり、啓たちは鼻と口をふさいだ。

数度目で岩壁に穴が空き、向こう側が見えた。

「音を聞きつけて、奴らが来る」

人一人が通れるほどの大きさに穴を広げると、レヴィンが告げる。啓は急いで持ってきた細身の剣を祝福してレヴィンに持たせた。レヴィンは風のように穴を抜け、向こう側へと消えていく。啓は同じように人数分の剣を祝福し持たせると、サンダーと共にレヴィンに続いて向こう側へと飛び込んだ。

人の足で均《なら》したような通路があり、啓は声のするほうへと駆け出した。断末魔の悲鳴が聞こえる。啓が駆けつけた時には、レヴィンが二人の《不死者》を灰にしていた。後続のアシュレイたちの足音を聞きながら、啓とレヴィンは迷路のような地下内を走った。

(ラウル…‼　今、行くからな)

心の中でラウルに必死に語りかけ、啓は真っ暗な道を奥へと入り込んだ。

「誰だ⁉」

騒ぎを聞きつけたレベル2の《不死者》たちが、奥から現れて戦闘態勢をとる。レヴィンが弾丸のように

《不死者》の群れに突っ込んでいく。レヴィンの動きは速く、《不死者》たちは、あっという間に灰にされていく。その攻撃の隙間を縫って、数体の《不死者》が啓に飛びかかってきた。彼らは啓をただの人間だと思っていて、鋭い牙で噛み砕こうとする。

「ぐがあああ‼」

払いのけるように《不死者》の身体を祝福した剣で滅ぼした。灰が飛び散ったその空間に、また別の《不死者》が迫りくる。

「ひいい…っ」

剣で突き刺し、次の灰を降らすと、回り込んできた《不死者》の爪が啓の腕を引き裂こうとした。とっさに屈《かが》んでやり過ごそうとした瞬間、サンダーが啓の背中を中継地点にして大きく跳躍した。

「ガウ…ッ」

サンダーが《不死者》の手首に噛みつき、《不死者》と共に落ちてくる。啓はその《不死者》の足首を剣で刺して、滅ぼした。サンダーは高い場所から一回転して無事に着地する。

「《薔薇騎士》《ローズナイト》だ‼」

ランプの明かりが灯っている通路をひた走っていると、《不死者》たちの逃げ惑う声が聞こえてきた。途中には大小の部屋があり、啓はすべての部屋を覗いてラウルがいないか確かめた。ラウルは見つからない。途中で合流したアシュレイたちが、奥に広い部屋があると告げる。啓はレヴィンと一緒に、奥へ急いだ。

五分ほど走ったところで、急に開けた場所に出た。

荒い息を吐いた啓は、一番奥まった場所に視線を吸い込まれた。天井から黒く太い鎖が吊るされていた。その先にあるものに目を奪われた刹那《せつな》、怒りで全身が震える。

「……っ‼」

鎖でがんじがらめにされた男がいた。その男の傍に《不死者》が駆け寄る。啓は考えるより先に大きく振りかぶり、持っていた剣を投げつけた。

「ぎゃああ…っ」

啓の投げた剣は、まっすぐに《不死者》の身体を貫き、瞬時に《不死者》は灰となって消え去る。啓たちの出現に気づいた数人の《不死者》が振り返り、咆哮《ほうこう》を上げて向かってきた。

「どけ‼」

腰のベルトにかけていたもう一本のナイフを持ち、啓は《不死者》たちに怒涛《どとう》の勢いで突っ込んでいく。《薔薇騎士》である啓の気迫に押されて、《不死者》たちが逃げ惑う。それらをナイフで灰にし、啓は鎖で縛られている男の元へ駆けつけた。

「ラウル‼」

天井から吊るされた鎖の先に、骨と皮だけになった男が縛られていた。とても生きているようには見えないくらい、ひどい状態だった。トレードマークの赤毛はぼろぼろになり、身体中に巻きつけられた鎖の下の肌は、汚れがこびりつき、ところどころ裂けている。傷口はそのまま放置されたらしく膿《う》んでいるし、なによりも意識はとうにないのか鎖で両腕を吊るされた姿は、ぴくりとも動かない。啓の声にも反応はない。

「ラウル…ッ」

啓は跪《ひざまず》き、震える手でラウルの両の頬に手をかける。まるで別人のように頬がこけ、土気色だが、確かにラウルだった。

わずかにラウルの目が開き、眼球が啓をとらえた。懐《なつ》かしい色をした瞳が瞬《まばた》きをする。

その瞬間、堪《こら》えきれない感情が湧き上がって、涙があふれ出た。ラウルを抱きしめて、慟哭《どうこく》する。ラウルは、生きているのが不思議なくらい傷つけられていた。きつく抱いたら息ができなくなってしまうのではないかと思うほど、がりがりになっている。

だが生きている。

啓は声を殺して泣きじゃくり、ラウルの身体をしっかりと抱えた。ラウルはまた意識がなくなったのか、もう目を閉じてなんの反応も見せない。

(早く…早く、治療をしなければ！)

ラウルを抱きしめる手が、みっともないほどがくが

くと震えた。ラウルの命にこときれる寸前で、一刻も早い治療が必要だ。

「兵藤！　こっちだ、来てくれ！」

なにもかもがもどかしくて、叫ぶ声も平静ではいられなかった。この鎖を解《ほど》かなければならないが、啓の力では無理だ。

「レヴィン！　早く鎖を！」

あとから駆けつけたアシュレイたちが、ラウルの変わり果てた姿に息を呑む。ちょうどレヴィンが部屋にいた《不死者》を全部灰にして、啓の元に戻ってきた。

「レヴィン…ッ、鎖を外してくれ！」

啓が泣きながら訴えると、レヴィンが鎖に手をかけ、引きちぎろうとする。その瞬間、強烈な電流が啓の身の内を走り、悲鳴を上げてラウルを抱きしめた。

「なんだ…っ、今の…っ」

意識を失いかけて、啓は頭をぶるりと振った。

「どうやら無理に外そうとすると電気が流れる仕組みのようですね。どこかに電源があるはずです。少々お待ちください」

アシュレイが眉間にしわを寄せて呟き、周囲をぐるりと見渡す。

逃げ出そうとして鎖を引きちぎろうとすれば、電気ショックに襲われるということか。油断していた。考えてみれば、ラウルほどの力があれば、鎖は解けるはずだ。逃げられなかったのは、強い電流のせいだ。身体中にまだ電流の余韻が残っている。ラウルはこんな責め苦をずっと受けてきたのだ。怒りと悲しみ、申し訳なさで胸が苦しくなる。

「もう大丈夫ですよ！」

隣の小部屋に入って行ったアシュレイが、大声で合図を出してきた。

今度はレヴィンが鎖を引きちぎっても、電流は流れなかった。

「兵藤！　頼む!!」

ラウルの身体から邪魔な鎖を外しながら、啓は叫んだ。

「は」

バックパックの中から、兵藤はミネラルウォーターのペットボトルを出す。横たえたラウルの頭を膝に乗せ、啓はそれを受け取った。誰もが別人のように痩せ細ったラウルを、痛ましげに見つめている。兵藤はラウルの胸にそっと耳を当て、かすかな命の鼓動を聞いている。

「ラウル、飲んで」

ラウルのかさかさになった口元にペットボトルの飲み口を当てて、水を少し流し込んだ。けれど口の端から水はこぼれ出てしまう。啓は一度自分の口に含むと、ラウルの頭を抱え上げ、その唇に少しずつ水を注ぎ込んだ。わずかにラウルの咽《のど》が動き、水分が取り込まれる。

「ラウル、がんばってくれ」

数度水を流し込み、啓は泣き濡れた目で必死に語りかけた。兵藤は両手に気を充満させ、ラウルの心臓部に当てる。

兵藤はびっしょりと汗を流しながら、熱を放つ両方の手のひらを、ラウルの胸から腹部まで当てていった。少しずつラウルの息遣いが聞こえるようになり、鼓動が力強くなっていくのが分かった。

「ひとまずここまでですな。あとは移動してからにしましょう」

難しい顔で兵藤が呟き、啓は頷いて撤退することにした。

「俺が担《かつ》ごう」

啓の腕からラウルの身体を受け取り、レヴィンが告げた。ラウルがあまりに軽かったせいか、レヴィンは瞬間動揺を浮かべたが、無言でラウルを背負い、静かに走りだす。

「行きましょう、長居は無用よ」

エミリーが耳に意識を集中させながら口走る。雄心も無言で頷き、出口に向かう。啓は壊れた鎖を振り返り、再び憤《いきどお》りを覚え、拳を握りしめた。

怒りで頭の芯まで熱くなる。こんなことは生まれて初めてだ。この光景を自分は絶対に忘れない。

この落とし前はきっちりつけさせてもらう。啓は新たに誓い、その場を後にした。


スティーブンが用意してくれた別荘は、タ・チェンチの村にある小さな石造りの家だった。

マルタ島からボートでゴゾ島に渡り、白み始めた朝焼けの中、重傷のラウルを運び込んだ。家は縦長の三階建ての造りで、二階の部屋の白く清潔なベッドにラウルを寝かせた。かろうじて引っかかっていた程度のボロ布のような衣服を脱がし、兵藤と一緒にラウルの身体を清めた。煮沸消毒したタオルでラウルの身体を丹念に拭《ふ》き、傷がどれほどあるか調べる。ラウルの身体には数えきれないほどの噛み痕があって、綺麗にしている途中で何度も泣けてきて困った。

三年という月日の中で、ラウルがどれほどの苦痛を受けたか、その身体を見れば一目で分かった。

兵藤はラウルに点滴を打ち、本格的な治療に入った。啓は部屋から追い出され、皆が揃っている一階のリビングに下りた。

「啓、ラウルは意識を取り戻しましたか？」

一階のリビングのソファにはアシュレイとエミリーと雄心が座っていた。レヴィンはいつものように窓際に立ち、窓ガラスの向こうを見ている。一瞬、日本のレヴィンの邸《やしき》にいた頃に戻った気がして胸が苦しくなった。この場に明るく笑うラウルがいないことがつらくてたまらない。

「いや…」

啓はアシュレイの問いに力なく首を振った。ラウルは治療中も意識を取り戻す様子はなかった。啓が部屋の中に足を進めると、アシュレイの脇で身を丸くしていたサンダーが、尻尾《しっぽ》を振って飛んでくる。

「……」

啓はサンダーの頭を撫でながら空いている一人掛け

のソファに腰を下ろした。

（クソ、しっかりしないと）

沈みがちになる思考を振り払うように啓は自分の頬を叩き、努めていつも通りの顔で口を開いた。

「今後について話し合おう」

啓がしっかりとした口調で切り出すと、少し驚いたようにアシュレイが目を瞠《みは》った。アシュレイはすぐにこくりと頷き、両手を組み合わせて膝の上に置いた。

「先ほど文也《ふみや》には無事ラウルを救出したと連絡しました。文也も喜んでいましたよ。ですが、ラウルがあの様子では、とてもルイスの前には出せません。まずは体力を回復させなくては。ルイスの罪を問うのはそのあとのほうがいいかと思います」

「そうだな。俺もそのほうがいいと思う」

アシュレイの意見に啓は納得して頷いた。ラウルが瀕死《ひんし》の状態では、ルイスと闘うこともできやしない。

「啓、あなたはこれからどうなさりたいですか？　ルイスの罪を問うのは当然として、もし薔薇騎士団《ばらきしだん》に戻れるとしたら、あなたは戻りたいですか？」

アシュレイが本質的なことを確認してきた。啓が無言のまま見返すと、アシュレイは眼鏡《めがね》を指で押し上げ重ねて告げる。

「バートンや、マリオ、ハロルドに今は亡きポールも、あなたが《薔薇騎士》として戻ってくるのを願っていました。その他の正規メンバーも血判状にサインをした以上、同じ気持ちのはずです。ルイスの血縁ですらルイスは総帥にふさわしくないと考えている。回り道してしまいましたが、私はやはりあなたに六代目総帥になってほしい。ルイスは偽物です。彼の六代目就任はなかったことにすべきだ」

真摯《しんし》な口調でアシュレイに諭され、啓はわずかに目を伏せた。

これからどうするのか――アダムを倒すこととは別に、啓は薔薇騎士団に戻るかどうかを決めなければならない。

「啓、戻れ」

それまで黙っていた雄心が横から声を発し、啓は驚いて振り返った。雄心は熱い眼差しを送ってくる。

「雄心…」

「啓は、総師になるべき」

雄心は何人もが同時に喋《しゃべ》っているような不思議な声で、啓に帰還を促す。雄心の発言にアシュレイとエミリーが目を丸くし、ついで微笑む。

「啓、私も戻ってきてほしい。あなたのいなくなった薔薇騎士団は、本当に最悪なのよ。立て直すにはあなたの力が必要だわ」

エミリーも力強い声で啓に頼み込んでくる。三人の顔を順に眺め、啓は自分の思いを正直に話した。

「俺はアダムを倒す――それは最初から変わってない。アダムの仲間になるかもしれないと思った時でさえ、最終的には倒さなければならない相手だと思っていた。でも…薔薇騎士団に戻るかどうかは、迷っている。薔薇騎士団にいなくても、アダムを倒すことは可能だ。それに……薔薇騎士団にいたからこそ、こんな事態になったっていう気持ちもあるんだ」

啓の本音にアシュレイやエミリーが苦しげな顔で黙り込んだ。口にはしなかったが、薔薇騎士団に戻るとレヴィンと離れなければならないのも苦痛だった。今はもうどちらの《守護者《ガーディアン》》とも離れたくない。

「お前は六代目になるべきだ」

静まり返った室内に声を響かせたのはレヴィンだった。窓際にいたレヴィンはゆっくりと啓に近づき、鋭い声で言い切る。

「何故迷う？　お前は五代目総帥エリックの息子だ。六代目総帥にふさわしく、薔薇騎士団を率いるのはお前しかいない。あんな偽物に大きな顔をされて悔しくないのか？　薔薇騎士団の誇りが穢《けが》された。俺は不快だ」

レヴィンはまるで自分のことのように憤り、啓をけしかけてくる。レヴィンは薔薇騎士団に大きなこだわりを持っている。その強すぎるこだわりは時に、どこか偏執的ですらある。

これまでも感じてきた苛立ちを、レヴィンの台詞《せりふ》で新たに感じた。格式や伝統といった薔薇騎士団への敬意やこだわりが、日本で普通の子どもとして育った啓には理解できない。自由に過ごしたほうが気楽だし、枷がなくていい。薔薇騎士団にいれば金や、権力が必要な時は都合がいいかもしれないが、それはたいした問題ではない。

「――俺には薔薇騎士団という肩書が必要か？」

思わず立ち上がり、啓はレヴィンに向かって言葉を叩きつけた。レヴィンがハッとしたように開きかけた口を閉ざす。

「俺は《薔薇騎士》だ。それはどこにいても変わらない。俺の誇りは、誰にも穢されてなどいない！」

真っ向から啓が言い返すと、レヴィンは黙って啓を見つめ返してきた。

「はっきり言っておくけど、俺には薔薇騎士団に対する思い入れはないんだ」

皆は聞きたくないだろうと思ったが、啓はいい機会なので言っておくことにした。案の定レヴィンは顔を歪め、不満げに啓を見据《みす》えた。

「皆のように小さい頃から薔薇騎士団に入れと言われてきたわけでもない。なんとなく流れのままに入団してしまったけれど……、俺はもうなにも知らなかったあの頃とは違う。ルイスの罪を暴くことには協力する。でもそのあとは……約束できない」

「だけど私たちには総帥が必要なのよ」

啓に反発してきたのは、意外にもエミリーだった。エミリーは黒目がちな瞳を大きく見開き、確固とした口調で啓にぶつかってきた。

「今回ラウルを救出する際…いいえ、もっと以前、あなたがまだ子どもだった頃でさえ、私はあなたに闘いを命じられると気分が浮き立った。私だけじゃないわ、正規メンバーなら皆そう。《薔薇騎士》であるあなたの期待に応《こた》えることが、私たちにとっては喜びなの。あなたが指示している姿を見ていると、安心する。あなたのために闘いたいと感じる。ラウルだってそうだわ。《薔薇騎士》というのは、私たちの上に立たなければならないのよ。あなたがもし薔薇騎士団に戻ってくれなかったら、またおかしくなるわ」

「エミリー…」

常にない強い声音のエミリーに驚き、啓は瞬《まばた》きをした。

「あなたに会うまでは、《薔薇騎士》がどんな存在なのか、よく分かってなかった。知識としては知っていても、実際とはまったく違うのよ。私たち能力者の遺伝子にはあなたに対する尊敬と愛情が組み込まれている。それなのにあなたは私たちを見捨てるというの⁉」

見捨てるという表現に啓は戸惑った。エミリーがそんな思いを抱いていたのも知らなかった。

「啓、私もエミリーと同じ思いです。雄心もそうでしょう。ここにいない他のメンバーだってそうです。あなたは一人でアダムを倒せばいいと思っているかもしれませんが、アダムを倒したいのは我々だって同じなのです。それなのにどうして一緒に闘えないのですか」

アシュレイもエミリーに同調してか厳しい顔つきだ。

奇妙な沈黙が訪れた。

啓は以前祖母の家でラウルとした会話を思い出していた。ラウルは薔薇騎士団を壊せばいいと言った。壊すためには、入団しなければならない。薔薇騎士団を解体できるのは総帥だけだからだ。彼らは分かっているのだろうか。啓が総帥になるということは、いずれ薔薇騎士団を壊す可能性を生むということを。

目を伏せてどう言えば分かってもらえるだろうかと考えている時、階段を下りてくる音がして、啓はハッとした。兵藤が疲れ果てた表情で部屋に入ってきた。

「兵藤、ラウルの様子は？」

啓が心配げに問うと、深い溜息を吐いて兵藤がソファに腰を下ろす。

「今は安定しています。しかし…」

言葉を濁して兵藤が腕を組む。

「はっきり言ってくれ」

じれったくなり啓が急かすと、組んでいた腕を解き、兵藤がつるつるの頭を撫でた。

「手は尽くしましたが、なにしろ三年もの間《不死者》に血を吸われていたため、大半の傷は癒せませんでした。《不死者》に噛まれた傷があまりに多いし、深く食い込んでいる。この先ラウル殿がどうなるか、まったく分かりません。あれほど《不死者》から噛まれてまだ生きているという事例は初めてです…」

絶望的な言葉に、啓はショックを受けた。他の皆も、一様に青ざめ、言葉を失っている。

そういえば以前、レヴィンに噛まれた痕を治療してもらった時、「早めに言ってもらわないと後々厄介なことになる」と兵藤に言われた。不安げな兵藤を見ていると、啓はいてもたってもいられなくなった。この先どうなるか分からないというのは、なにを意味しているのか、はっきり教えてほしい。

アシュレイも青ざめた顔で身を乗り出す。

「しかしラウルは死んでいません。死んだら《不死者》になるかもしれないが、まだ生きているのです。いずれ血が巡り、正常な状態に戻るのでは？」

アシュレイがすがるように言うと、兵藤は眉間にしわを寄せて唇を曲げた。

「まったく生きているのが不思議なほどです。……以前《不死者》に何箇所か噛まれた者を治療した経験があります。噛まれてから一年経っていて、《不死者》の穢れを拭《ぬぐ》えなかった。その人は噛まれた痕が夜になると耐え難い痛みを発すると言っておりました。五年治療を続け、どうにか日常生活を送れるようになったのです。ですがラウル殿は……あれだけの傷だ。どうなるか心配です」

兵藤の話は啓の心に重苦しいものを生んだ。ラウルを思うと、また涙腺が弛む。だが泣いていても前に進めるわけではない。啓がうろたえて騒いだからといってラウルが回復するわけではないのだ。今は辛抱して地道に一つずつ進めていくしかない。

「兵藤、しばらくラウルの治療を頼んでもいいか？　もちろん俺も手伝う」

啓が頼むと兵藤は即座に頷き、力の限り尽くすと答えてくれた。

「アシュレイ、エミリー、雄心。三人は…」

「私は、帰らないわ。帰る時は、あなたが戻ると決めた時」

啓の言葉を遮《さえぎ》って、エミリーが決然と告げる。

「私も帰りませんよ、エミリーと同意見です。それにラウルが元に近い状態になるまで助ける責任があります」

アシュレイも居住まいを正して言う。

「俺は、啓といる」

雄心も絶対にここを動かないといった顔だ。

啓は苦笑した。本当は三人はもう帰ってもらおうと思っていたのだが、そこまで言ってくれるなら拒否するつもりはない。

「それじゃゴゾ島にルイスたちが近づいてきたら、知らせてくれ。監視を頼む」

「分かりました」

アシュレイとエミリーが頷く。

スティーブンが手配したこの家は、偽名を使って借りている。すぐにはばれないと思うが、いずれ調べられる可能性はある。ラウルが消えたことに気づいたら、ルイスは血眼《ちまなこ》になって捜すに違いない。ラウルの存在はルイスの地位を脅《おびや》かすものだ。

啓は最後にレヴィンに目を向けた。レヴィンは一緒にいてもらうつもりだったが、薔薇騎士団に戻るかどうかの話に関してはまだ意見が一致していない。今は話しても平行線を辿るだけだろう。

「…分かっている、話はまた今度だ」

啓の視線の意味を理解して、レヴィンが窓の外に向きを変える。

「ラウルの様子を見てくる」

啓は目を伏せて呟き、ソファから立ち上がって部屋を出た。背中に皆の視線を感じるが、まだ総帥になる決意も薔薇騎士団に戻る気にもなれない。

階段を上り、二階のラウルが眠っている部屋に入る。

点滴を受けているラウルからは息遣いもほとんど感じられず、まるで屍《しかばね》のように横たわっている。

　蒼白なラウルの顔を見て、我慢していた涙がこぼれてきた。どうしてアダムに追われた時、離れてしまったのだろう。一緒に捕まれば、ラウルはここまでひどい状態にならなかったはずだ。こんなに力のない自分に総帥が務まるとは思えない。

　ラウルの枕元に椅子を置き、啓は涙を拭いてラウルの骨が浮き出た左手をそっと握った。ラウルの左手にはまだ刻印があるが、啓が渡した指輪はなかった。おそらく異様に痩せ細ったラウルの指から、銀の指輪が抜け落ちてしまったのだろう。ひょっとしたら奪われてしまったのかもしれない。拭った傍から目が濡れてきて、啓は咽の奥をひりつかせた。

「啓…」

　静かに声をかけられ、啓は肩を震わせた。レヴィンが音もなく部屋に入ってきて、啓の隣に立つ。啓は空いている片方の手をレヴィンの腰に回し、濡れた顔を押しつけた。

「レヴィン…」

　声を殺して泣く啓の髪を、レヴィンが優しく撫でてくれる。啓は冷たいラウルの左手を握りしめたまま、ぎゅっとレヴィンに抱きついた。

Ⅴ 変貌

久しぶりに仲間との生活が始まった。食事はエミリーと雄心《ゆうしん》が担当になり、買い出しは夜、人目につかない頃にアシュレイが遠くの街まで行く。サンダーは人目につきやすいということもあって、しばらくスティーブンの屋敷に引き取られることになった。サンダーと離れるのは寂しかったが、この辺りでは珍しい犬種だし、鳴き声が聞こえるのはまずいので仕方なく預けた。アシュレイとエミリーは交代でゴゾ島に入る人間や《不死者《アンデッド》》をチェックしている。おかげで安心して過ごせた。

　救出して数日後、点滴の効果か、ラウルの顔に赤みが差してきた。短い間だがラウルが意識を取り戻し、目を開いた。

「ラウル、もう大丈夫だから。俺が分かるか？」

　ちょうどラウルの身体を拭いていた啓《けい》は、急いで呼びかけた。ラウルは目だけを動かして啓を見つめ、かすれた声を上げた。ガラス玉みたいな瞳が啓をじっと見る。

「……」

　ラウルはなにか呟いたが、聞き取れないほど小さな声だった。啓は早く元気になってくれと懸命に語りかけ、ラウルの手を握る。ラウルはかすかに声を発したものの、ほとんど反応らしい反応を返さず、すぐにまた意識を失ってしまった。

　そんなことが数回繰り返され、啓は胸騒ぎがしてたまらなかった。予断を許さない状況というだけではなく、無機質なラウルの目を見ていると不安に囚われるのだ。

　それは今夜からラウルに流動食を与えようと兵藤《ひょうどう》が告げた日だった。

　兵藤は知り合いの医師のところへ買い出しに出かけ

ていて、啓がラウルについていた。午後三時を回った頃、アシュレイが階段を駆け上がって、険しい顔で入ってきた。

「啓、ゴゾ島に《不死者》の影が見えます。ルイスの手の者かまでは分かりませんが」

アシュレイの背後からレヴィンも現れ、物憂《ものう》げな顔で髪をかき上げた。つきっきりでラウルを看病する啓に対して、レヴィンは他の者にも任せるべきだと主張している。ラウルの傍を離れたくなかった啓は、昨夜レヴィンと言い争いをしてしまい、いくぶん気まずかった。レヴィンの言いたいことは分かるのだが、感情的にラウルの傍を離れられない。

「俺が行こう。大体の場所を教えてくれれば、匂いで辿れる」

レヴィンが請け負い、アシュレイの示した場所まで五分で着けることから、啓は祝福した剣をレヴィンに手渡し、侵入者である《不死者》を滅ぼすよう頼んだ。

「ルイスに動きは？」

レヴィンが去っていくと、啓はアシュレイに状況を尋ねた。アシュレイは呆れたような口調で状況を教えてくれた。

「ルイスはまだラウルが消えたことに気づいてないようです。アダムと連絡を密に取っている…というわけではなさそうです」

「そうか」

ルイスがラウルをあんな状態で放置していた件に関しては、腸《はらわた》が煮えくり返る思いだった。どんな理由があろうと、絶対に許さない。ルイスは人の命の重みを考えたことがないのだろうか。無事になにもかも終わった時は、ルイスの顔が変わるくらい殴り倒さなければ気がすまない。

アシュレイが部屋を出ると、再び啓はラウルと二人きりになった。伸びたラウルの爪を切ろうとして手を取った時、ふっと右手の刻印が熱くなって、啓はぎょっとして手を押さえた。

（え？）

啓の右手は《不死者》に反応する。まだレヴィンが近くにいるのだろうかと考えたが、玄関のドアを閉める音が確かに聞こえたし、戻ってきた様子はない。

啓は不吉な予感がして、青ざめた顔でラウルを見下ろした。鼓動が急速に速まる。アシュレイがなにも報告してこないのだから、新たな《不死者》が近づいてきているわけではない。これまでレヴィンがずっと傍にいたから、右手の反応など特に気にしたことはなかった。

だが——。

(治まれ…、治まれ…)

蒼白な顔で啓は右手を押さえ、ラウルを凝視した。

「畜生…、鎮《しず》まれ…っ」

思わず口に出して吐き出し、震える手でラウルの頬に触れる。信じられないけれど、これは事実だ。

啓の右手は、ラウルに反応している——。

生きながら死ぬ、ということがあるのだろうか。ラウルはもう《不死者》になってしまった? 認めたくなくて啓は何度もラウルの頬やこめかみを撫でた。まるでそうすれば元のラウルが戻ってくるとでもいうように。

「う…っ、ぅ…」

右手の熱はすうっと引いたかと思うと、赤になる前の信号みたいに点滅を繰り返す。啓はあまりの恐ろしさにぶるぶる震えた。ぽたりと涙がこぼれ落ち、ラウルの唇を濡らす。

「ラウル…ッ、戻れ!」

半ばやけくそ気味に怒鳴ると、ふいに右手の反応が鎮まった。

右手の刻印から熱が消える。啓はしばらく待って、熱くならないのを確認して、ようやく溜めていた息を全身から吐き出した。

「ラウル…」

ラウルが人間と《不死者》の間を行ったり来たりしているのが啓にも分かった。文也《ふみや》はジャッジした際、ラウルがはざまを彷徨《さまよ》っていると言ったそうだ。手の届かないところへ行ってほしくない。ラウルには人間でいてほしい。

啓は心底そう願い、ラウルの身体を抱きしめた。


流動食を始めてから、ラウルの状態は徐々に改善されていった。少しずつ人間らしい身体つきに変わり、意識もはっきりしてきた。

その一方で、やはりラウルに危機が訪れているのも確かだ。啓がおかゆを食べさせるようになって、ふつうに喋《しゃべ》ることができるほど回復したにも拘《かかわ》らず、始終ぼうっとしておよそラウルらしからぬ様子だった。なにを話しかけても虚空を見つめてぼんやりしているばかりで、魂が抜けてしまったみたいだ。

ラウルは陽気なイタリア人で、啓が落ち込んだ時、何度も明るく引っ張り上げてくれた。そのラウルは今、表情がまったくなく、人形のようにそこにいるだけだ。


「ルイスがようやくラウルが消えたことに気づいたようです。衛士《えじ》とあちこちを駆けずり回っていて、スティーブンのところにも現れたとか。ここがばれた時のために、別の家を手配します」

アシュレイは薔薇騎士団《ばらきしだん》の情報を逐一報告してくれる。

「文也が正規メンバーには事情を話し、根回ししています。ラウルさえ元に戻ってくれたら…」

ベッドに上半身を起こしたまま、ただ部屋の隅を見つめるだけのラウルを見やり、アシュレイが眉を顰《ひそ》める。ラウルがこんな調子では、とうていルイスの前になど出せない。まるで廃人だ。呼びかけに応《こた》えるのも何十回に一度だし、皆には言ってなかったが、時々レヴィンがいないのに右手が熱くなることがある。

「そうか…なにか起きたら教えてくれ」

啓が疲れた顔で笑うと、心配そうにアシュレイが眉を下げた。

「啓、少しは寝てください。ラウルにつきっきりでは、あなたまで参ってしまう」

「寝てるよ、大丈夫」

目元にくまを浮かべたまま啓は無理に笑ってみせた。

兵藤は毎日ラウルの身体に手を当て、機能が衰えた内臓や《不死者》に噛まれた傷を治していった。三年経っているため《不死者》にやられた傷を治すのは難しいと兵藤が言った通り、治療の後も啓の見た感じではあまり変わっているようには見えなかった。

数週間が過ぎると、ラウルは見た目だけはだいぶ回復した。風呂にも入れるようになり、がりがりだった身体にも肉がついてきた。ごわついていた赤毛は艶《つや》を取り戻し、一人で食事もできるくらいになった。

けれど相変わらずラウルは抜《ぬ》け殻《がら》みたいに一日中窓の外を見て、ほとんど動かずにいる。啓が話しかけても「ああ」とか「うん」と答えるだけで、とても意味が分かって答えているとは思えなかった。日々不安が募り、このままではいけないと気ばかり焦った。ラウルがおかしくなっている。ラウルの魂がここにいない気がするのだ。

「上野《うえの》の時みたいじゃない？」

兵藤の治療を間近で眺めながら、啓はうつろな目のラウルについて意見を仰いだ。ラウルの心ここにあらずといった様子は、以前アダムに幻術をかけられた同級生の上野蓉子《ようこ》の症状とよく似ていた。魂をなにかに乗っ取られたようだ。

「確かにアダムに幻術をかけられている可能性はありますな。だとしたら時間が経てば元のラウル殿に戻るはずですが……」

兵藤も頷いてくれたが、もし幻術にかかっているとしたら蓉子の時ですら元の状態に戻るのに二カ月かかった。長期に亘《わた》ってかけられた可能性の高いラウルはどれくらいの時間を必要とするのか。そもそも幻術にかかっているかどうかも分からない。

「啓、少し休め」

ラウルにつきそう啓に、レヴィンは事あるごとにそう促してきた。ラウルがこうなった原因は自分にあるという罪悪感が消えず、啓はラウルの面倒をほとんど一人で見ている。……それに、もう二度とラウルから離れたくないという気持ちもあった。人形みたいなラウルでも生きてそこにいるという事実があれば安心できた。二度と誰も失いたくない。

「平気だよ」

無理やり外に連れ出さなければ動こうとしないラウルを連れて、夜の散歩に出かけた。石灰岩の荒れた大地を歩き、ラウルの足腰の筋力を取り戻そうと考えたのだ。ラウルの身体機能そのものは健全な状態に戻っていたが、動くのが億劫《おっくう》らしく、啓が手を引いてもなかなか歩こうとしない。

タ・チェンチの村はもともと人口の少ないのどかなところで、夜になると周囲は人気《ひとけ》がなくなる。大柄な大人が手を引かれて歩いている図は、どうみても違和感がある。啓とラウルを案じてか、後ろをついてくるレヴィンが啓に休みを強要した。

「平気じゃない。お前は無理をしている。…ラウルが心配なのは分かるが、今は少し休め」

啓の二の腕を掴み、レヴィンが強引に引っ張る。ラウルの背中を押していた啓は、レヴィンに引き寄せられ、足元をぐらつかせた。

「見ろ、疲れている」

両足をもつれさせた啓を見て、レヴィンが溜息をつく。そのまま肩に担《かつ》ぎ上《あ》げられそうになった時、シャツの裾《すそ》を引っ張られた。振り向くとラウルがおいていかれた子どももみたいな顔で啓のシャツの裾を掴んでいた。

「行かないよ、ラウル」

安心させるように啓が優しく告げると、ラウルの目がふっと伏せられ、視線が海のほうへと向いた。風が吹き、ラウルの赤毛を揺らす。

ラウルは啓のシャツから手を放すと、まるで導かれるようにふらふらと海に向かって歩きだした。ラウルが自分から歩くのは珍しいので、啓もそのあとに続いて歩く。当然レヴィンも啓と肩を並べて歩を進め、再び啓に休めと言ってきた。

「啓、お前は人間なんだ。休まないと疲れが溜まる。どうしてそこまでお前がなにもかも背負い込もうとするんだ」

レヴィンに再三言われて、啓はどうやってはぐらかそうかと頭を巡らせた。レヴィンが自分を心配しているのは分かるが、今は無理をしてでもラウルを看《み》ていたかった。それを止められたくない。

「そういえばさ、レヴィン…。母さんが裏切ったのは父さんのためだったんだ。アシュレイから聞いたかもしれないけど、言っておきたくて――」

マリアが裏切った理由に関して話しておこうと思い、啓が口を開くと、とたんにレヴィンの態度が冷たくなった。

「マリアはやはり裏切り者だったということだろう。アシュレイから話は聞いたが、俺の考えは変わらない。エリックを《不死者》にしようなんて愚かな考えだ」

にべもなくはねつけるレヴィンに、啓は口ごもった。

「え…っ、で、でも母さんは、他に方法がなくて…、だけど父さんを失いたくなくて」

「エリックはそんなものは望んでいない、それが分からないなんて、妻として失格だ」

レヴィンは容赦なくマリアを切り捨てる。レヴィンの言い分にも一理あると思ってしまったが、それでも割り切れないのが人の情というものだ。

「レヴィン、まだ母さんを憎んでるの…?」

雑草を踏みつけながら啓が問うと、レヴィンはしばしの沈黙の後に答えた。

「俺はマリアを許せない。あの女がアダムといたせいで、俺はエリックと勘違いして罠にかかった。まさかあれほどアダムがエリックと似た面立ちとは当時知られていなかったんだ」

レヴィンは真実を知ってもマリアを許す気には到底なれないらしい。自分を《不死者》にした元凶なら当然かもしれない。父に関することだけでも、マリアの気持ちを理解してくれないかと考えたが、そちらも無理なようだ。マリアもレヴィンと似た反応をしていたから、この二人は最悪の相性らしい。

「レヴィン、ひょっとして元から母さんとあまり仲良くなかった？」

気になって啓が聞くと、レヴィンは図星を差されたように顔を反らした。

「……俺はエリックには明るい伴侶《はんりょ》を選んでほしかった。マリアはなにを考えているか分からないし、薔薇騎士団の間でも浮いていた。それに…」

言いかけた言葉を呑み込み、レヴィンは風になびく髪を束ねる。

「風が強いな…」

忌々しげに夜空を見て、レヴィンが呟く。なんとなく違和感を覚えて啓は戸惑った。だがその違和感の正体がよく分からない。それよりもレヴィンの話のほうに興味が向かって、もっと昔の話をしてもらいたいと考えていた。レヴィンが過去を語るのはすごく珍しいことなのだ。

「でも母さんとレヴィンってどこか似てるよね」

「なんだと⁉」

つい口から飛び出してしまったのだが、聞いたレヴィンの反応はすごかった。信じられない発言だと言わんばかりに、険しい顔で迫ってくる。そんなに怒るとは思わなかったので、啓は焦って肩をすくめた。

「あ、いや、その…レヴィンもなに考えてるかよく分からないし、ほらちょっと思考が本能的というか、動物っぽいっていうか、うん、狼《おおかみ》っぽい感じが…」

しどろもどろになった時だ、ラウルが崖の近くまで行って、そのまま飛び出しそうになるのが見えた。

「レヴィン！　ラウルが――」

啓がとっさにラウルを差して叫ぶと、レヴィンは瞬時に飛び出し、風のような速さで崖から落ちそうになっていたラウルを捕まえた。危ないところだった。急いで二人の元へ走り、ラウルの無事を確認する。

「はぁ…。びっくりした…」

慌てたのもあって、駆け寄った啓はぐったりしてその場にしゃがみ込んでしまった。やっぱり疲れているのかもしれない。少し走っただけで足を重く感じる。

「手間のかかる奴だ」

レヴィンは啓を右の肩に担ぎ上げると、左腕でラウルの腰を抱え、目にも止まらぬスピードで駆け出した。元気だった頃のラウルなら、こんなふうにレヴィンに担がれたら大暴れしたに違いない。

来た時の何倍もの速さで家に戻り、レヴィンがラウルを二階の部屋のベッドに押し込む。ラウルはベッドに下ろされてもまだぼうっとした顔をしていた。レヴィンは啓のこともベッドに押し込め、毛布を首まで引き上げる。ベッドは大きかったので、ラウルと啓が寄り添って眠っても支障はない。レヴィンは啓の傍《かたわ》らに腰を下ろし、両目を左手で隠してきた。

「俺が見守っているから、寝ろ。なにかあったらすぐに起こす」

レヴィンに囁《ささや》かれ、啓は戸惑いつつも目を閉じた。隣にいるラウルはうつろに天井を見ている。

「ありがと、レヴィン…」

レヴィンの手が優しく何度も髪や頬を撫でる。啓は心地よさに包まれた。レヴィンの手が温かくて、眠りに引き込まれる。やはり身も心も疲れていたのかもしれない。

——啓はレヴィンの手のぬくもりを感じながら、深い睡眠を得た。


疲れていたのかぐっすり寝込んでしまった。朝日が部屋に差し込んで目が覚めると、横にラウルの姿はなかった。目を擦って起き上がると、バルコニーでラウルとレヴィンがなにか話しているのが聞こえてきた。

「…なのか？　一体…」

「…したんだ、もう二カ月近く経っている」

啓はラウルが意思を持って会話していることに気づき、びっくりしてベッドから飛び降りた。レヴィンと言い争っているラウルには表情があった。ラウルは険しい顔で詰問している。

「ラウル！　元に戻ったのか⁉」

窓を全開して期待に満ちて問いかけると、ラウルが振り返ってぎこちない笑みを浮かべた。

「啓…、まだ頭がぼんやりしている…。どうして俺はこんなところに…？」

不可解な表情を浮かべているラウルは、幻術が解《と》けたようだった。啓はあまりに嬉しくてラウルの首に飛びついて、喜びを分かち合おうとした。

ところが、抱きついた一瞬の後に、ラウルが啓の胸を突き返した。

「えっ？」

強い力で押されて、背後にいたレヴィンに抱きとめられる。レヴィンが目を見開いて、ラウルに視線を注ぐ。

「……」

啓は呆然としてラウルを見上げた。まさかラウルからハグを拒否されるなんて思わなかったのだ。不自然な沈黙が落ちた。ラウル自身も啓を突き飛ばしたことに驚いた様子で、自分の両手を見つめている。啓はレヴィンに礼を言って背筋をまっすぐ伸ばすと、視線をうろつかせるラウルを見上げた。

「ラウル…、大丈夫？」

啓が不安げに問うと、ラウルは取り繕ったような笑みで、啓から目を逸らした。

「……ごめん、まだ本調子じゃないんだ」

嘘だ、と直感したが、それについて深く問い詰めるのはよくないと思い、啓は気づかないふりをすることにした。ラウルは病み上がりだ、今はきっと動揺しているだけに違いない。

「そ、っか、ごめん。嬉しかったからつい…。ラウル、皆に顔を見せてやって。皆心配してるんだ。ラウルはずっと抜け殻みたいでさ…」

また払いのけられたらどうしようと思いつつ、啓はラウルの腕にそっと触れて促した。今度は拒否されなかったが、ラウルは啓が触れた部分が気になるみたいで、ちらちらと厭《いと》わしげな表情で啓の手を見ている。その目は触れるのを拒絶しているようで、啓は内心ひどいショックを受けながら手を引いた。啓が手を離すと、ラウルはようやくほっとした顔で肩から力を抜く。

「ありがとう。助けに来てくれたんだな、あのまま死ぬものだと思っていたよ」

バルコニーから部屋に戻りながら、ラウルが低い声で礼を言った。その声には抑揚がなく、およそラウルらしくなかった。蓉子は幻術から解けた時にはすっかり元に戻っていたけれど、ラウルの態度はどこか変だ。

なによりも、目を合わせようとして前に回ると、啓を避けるように身を引く。ラウルは硬い顔つきでドアに向かい、啓に完全に背を向けた。

もしかしてラウルは啓を恨んでいたのだろうか。考えてみれば三年もの間、鎖で縛られていたのだ。こんな目に遭うはめになった元凶である啓を憎んだとしても不思議はない。急に不安になって、啓はラウルの背中に向かってかすれた声をかけた。

「…ラウル、ごめん。俺のせいでラウルがひどい目に遭って…」

一階のリビングに下りるラウルに、震えた声を吐き出す。

「そんなこと気にしてないよ」

ラウルは即座に答えたが、それは他人事《ひとごと》のような口ぶりだった。まるで心がこもってない。なんだか奇妙だった。ラウルがラウルらしくなくて、別人に見える。啓は戸惑って背後のレヴィンに目配せした。レヴィンは黙って首を振った。レヴィンもラウルの変貌に気づいているが、どうしようもないと言いたげだ。

一階に下りて皆に幻術が解けたラウルの姿を見せると、誰もが喜んでくれた。アシュレイなどはすぐさまルイスを総帥の座から引きずり下ろすべきだと、声高に告げる。

「ラウル、いつ動きますか？」

アシュレイがソファに腰を下ろすラウルに問いかけると、部屋の隅に視線を落としていたラウルが慌てた

キッチンから雄心が人数分の目玉焼きを運んでくる。

レヴィンは席を離れようとしたが、啓が座ってと頼むと、格好だけは揃えてくれた。こんなふうにみんな揃っての食事は久しぶりだ。クルミの入ったパンとコーヒーに目玉焼きの簡単な食事だが、久しぶりにラウルも一緒に朝食を食べられることが啓も嬉しかった。兵藤は自宅から通っているので、まだ来ていないのが残念だ。

きっとこれからはなにもかもよくなる。すべてが元に戻るとは思わないが、苦しい時期をようやく脱したのだ――啓はそう考えた。

だが、食事を始めてすぐに、またラウルの様子がおかしくなった。

パンを一口食べたラウルが動きを止める。咀嚼《そしゃく》していた口元を押さえ、真っ青になった。

「…気持ち悪い」

口走るように告げると、ラウルが椅子を倒して立ち上がり、キッチンに駆け込んだ。気になって追いかけ様子で顔を上げた。

「いつ…？」

ラウルは話を全く聞いていなかったのか、戸惑った表情をしている。

「あなたをこのような目に遭わせたルイスの罪を暴くのです。すぐにとは言いませんが」

急いた顔で促すアシュレイに対し、ラウルは両手で顔を覆って肩を落とした。

「……悪い、もう少し待ってくれないか」

長い沈黙の後にラウルが絞り出すような声で告げた。ラウルは傍目にも分かるくらい苦しげな息を吐き、首を振った。

「まだ調子が悪いのね。当然だわ」

エミリーが痛ましげな目でラウルを見つめ、微笑んだ。

「ちょうど朝食ができたところよ。せっかくですもの、皆で揃って食べましょうよ。今日の当番はアシュレイじゃないから安心よ」

た啓は、ラウルがシンクに食べたものを吐き出している のを見てびっくりした。

「ラウル、大丈夫？　無理して食べなくていいよ」

懸命にラウルの背中を摩《さす》ると、ラウルは胃液を吐き出した挙げ句、頭から水を被った。

「ラウル…ッ」

啓の声が耳に入らない様子で、ラウルは真水を頭に流している。エミリーがタオルを持ってきてくれた。啓は延々と水を被り続けるラウルをシンクから離して、濡れた髪をタオルで拭いた。拭きながら、ふと右手の刻印が妙に熱くなっていて、内心ぎくりとした。レヴィンがいるからだと自分の疑惑を打ち消し、考えないようにする。

「どこか悪いのか？　教えてくれ、ラウル」

啓が畳みかけるように尋ねると、ラウルは自分の手で濡れた顔を拭《ぬぐ》い、また啓から目を逸らした。気のせいではない、ラウルは明らかに啓を避けている。

「なんでもない」

「なんでもなくないだろ？」

視線を逸らすラウルが気にかかり、無理やり顔をこちらに向けようとする。するとラウルは啓をいきなり突き飛ばした。

「なんでもないって言ってるだろう!!」

大声で怒鳴られ、啓はびくっとして固まった。ラウルが自分に対して怒鳴ったことが信じられなくて、思考が停止した。

「…っ、……部屋に戻る」

ラウルは啓に向かって怒鳴ったのを厭うようにして、顔を背けたまま部屋を出ていってしまった。

幻術は解かれたが、まだラウルはおかしい。心配で啓が心細げにレヴィンを振り返ると、レヴィンは奇妙な顔つきでラウルが消えたほうを見ていた。レヴィンもなにか気づいているのだろうか。

ラウルの変化は、その夜になってさらに不可解なものになった。

部屋に入るのを拒絶された啓は、仕方なくレヴィンと一緒に三階の部屋で話していた。すると階下から叫び声が聞こえてきた。急いで階段を下りると、ベッドに横たわっていたラウルが苦悶の表情で身をよじっている。

「ラウル？」

ちょうど兵藤も駆けつけ、ラウルの様子を見てすぐさま押さえつけようとする。

「痛い…っ、苦しい…っ、う、ぁ、ああ…っ」

ベッドに駆け寄ると、ラウルは悲鳴を上げ、脂汗でびっしょりになりながら苦しんでいた。とてもじっとしていられないほどの痛みなのか、ラウルはベッドの上で暴れている。

「どうやら幻術が解けて、痛覚が戻ってきたようですな」

険しい顔で兵藤が呟き、啓は蒼白になって暴れるラウルの身体を押さえつけた。けれどラウルの力はすさまじく、啓が押さえても跳ね飛ばされてしまう。啓の代わりにレヴィンがラウルをベッドに押さえ込み、兵藤の治療を促した。

「うー…っ、う…っ、あ、あ…っ、焼ける…っ、燃えてしまう…っ」

ラウルはほとんど意識が飛び、うわごとのように叫んでいる。見ていられなくて啓もラウルの手をぎゅっと抱きしめた。

「苦しい…っ、痛い…ッ、助けてくれ…っ」

叫んだラウルが啓を凝視した。幻術が解けてから初めてと言っていいくらい、やっとラウルと目が合った気がした。ラウルは絶望的な瞳をしていた。見ているこちらが青ざめるくらいの。

「あぐ…っ、う…っ、うー…っ」

ラウルが強烈な痛みに悶《もだ》え、胸をかきむしる。深く食い込んだ爪のせいでラウルの首に赤い線が走った。

「しっかり押さえていてください！」

兵藤はバッグから痛み止めの注射を取り出し、悶え苦しむラウルの腕にそれを射した。薬の効果が現れるはずの時間になっても、ラウルは激痛に喘《あえ》いでいる。

一体どれほどの苦痛なのか。やがて一時間もすると、ラウルは痛みで失神した。身体のほうが痛みに耐えられなくなったのだろう。

「ラウル…」

ようやく幻術が解けたと思ったとたん、さらなる苦しみがラウルを襲っている。代わってやりたくても、代わってやることはできない。啓はどうしていいか分からなくてレヴィンに抱きついた。レヴィンは啓を抱きしめ、物憂げな顔で気絶したラウルを見下ろしていた。


その日からラウルの苦痛の日々が始まった。

夜になるとラウルの身体には激痛が走り、レヴィンと共に暴れるラウルを押さえつけて苦痛を和《やわ》らげる処置を施す。毎回といっていいほど、ラウルは痛みで気を失ってしまう。ラウルは屈強な身体をしていて、少しくらいの痛みは口にしない男だった。そのラウルが絶叫するほどの激痛なのだから、きっと耐え難い苦痛に苛《さいな》まれているのだろう。

夜は痛みに七転八倒するラウルだが、昼間は打って変わってぼんやりした顔で呼びかけても面倒そうな顔をするだけだ。幻術にかかっていた頃とはさすがに違うが、それでもラウルが痛みのない日中もなにかに苦しんでいるのが分かる。

食事をするのもひどく苦痛らしく、食べる時は噛まずに呑み込むか、無理に食べて吐いてしまうかだ。こんな調子ではせっかく回復した身体もまた悪化してしまう。

ラウルはふつうの食事を避けて、栄養素が入った流し込むだけの食事を好むようになった。以前は楽しそうに食事していたラウルが、今は食事の時間がくると億劫そうな表情をする。

一番啓が落ち込んだのは、ラウルがあからさまに啓を避けることだ。それは皆の目にも明らかで、誰もが困惑した顔で啓たちを窺《うかが》っている。

「ラウル、どうなっているのか説明してください！　啓に対してあんな態度…」

キッチンで雄心と昼食を作っていた時、二階からアシュレイの大声が聞こえてきた。アシュレイが声を張り上げるのは珍しくて、啓は雄心と一緒に二階へ急いだ。ラウルの部屋のドアは開いていて、ノックをして入ると、ベッドに腰を下ろしたラウルに向かってアシュレイが叱責しているのが見えた。

「以前のあなたからは考えられない、なにが起きたというのですか？　言ってくれなければ……っ」

アシュレイが入ってきた啓に気づいて、声を呑み込む。鬱陶《うっとう》しそうに赤毛を掻くラウルも、啓に気づいて身体を強張らせた。

「一階まで聞こえてきたよ」

啓はなんとなく居心地が悪くなり、低い声で告げた。アシュレイが自分とラウルの間に流れるぎこちない空気を気にかけていたのだと知った。心配しているのだろう。

自分は部屋を出ていったほうがいいかもしれない、と身を引きかけた時、ふいに雄心がラウルに向かって一歩足を進めた。

「何故啓を避ける」

雄心の不思議な声がラウルに投げかけられた。とたんに驚くべき答えが返ってきた。

「──俺は啓の傍にいたくないんだ」

ラウルの口からはっきりと拒絶する答えが出てきて、啓は真っ青になった。口にした当のラウルもしまったという顔で口を押さえ、顔を強張らせる。

「ラウル…」

アシュレイがびっくりした様子でラウルを凝視した。雄心は咎《とが》めるような目つきでラウルを見ている。

「…ごめん」

沈黙が苦しくて、啓はぽつりと呟いた。傍にいたくない、と言われたのはかなり傷ついた。目が潤んで、息を止めてしまったくらいだ。ラウルはいつも愛の言葉を口にするから、こんなふうにストレートに拒絶されると、胸に深く突き刺さる。啓には今の言葉は、ラウルの正直な気持ちに思えてならなかった。雄心の問いに、つい飛び出してしまった本音。

「あの……」

啓は気にしてないと言おうとしたが、言葉は咽《のど》の辺りで止まったまま出てこなかった。胸の奥に重い鉛を沈められたような最悪な気分。ラウルがそこまで啓を嫌っているとは知らなかった。

啓は黙って部屋を出ていこうとした。

「啓！」

悲痛な声でラウルが叫び、振り返った啓に苦しげな表情を見せた。なにか否定する言葉を言ってくれると思ったが、ラウルは苛立った顔で髪を掻きむしり、枕に拳《こぶし》を叩きつけただけだった。

「クソ…ッ、畜生！」

枕が破れ、中に入っていた羽毛が飛び散る。ラウルはやおら立ち上がると、啓を押しのけて部屋を飛び出してしまった。

「ラウル…」

アシュレイが困った顔で、ラウルを追う。

啓はうろたえて雄心を見上げた。雄心は部屋に啓しかいないのを確認して口を開く。

「啓、ラウルはおかしくなってる。気にしてはいけない。啓は傷ついている。啓が傷つくと、俺も悲しい…」

雄心は啓の肩に手を置き、心配そうな顔で告げる。

雄心の声はふつうの人が聞くと気分が悪くなるので、雄心は人前では極力短めに喋る。その雄心が啓にだけはゆっくりと優しく語りかけてきた。雄心に慰められているのを感じ、啓は苦笑して雄心の手に自分の手を重ねた。

「…大丈夫、気にしないようにする」

雄心の言う通り、ラウルは今ふつうの状態じゃない。きっと刻印が反応するのと関係があるのだろう。雄心の言葉にとっさに本音を吐いてしまったのも、きっとそのせいだ。ラウルの言葉にうろたえてはいけない。今一番苦しんでいるのはラウルなのだから。

(そうだ、どれだけ傷ついていても、ラウルが本当に自分を嫌いになっていても、ラウルが苦しんでいる原因を見つけて対策をたてなければならないんだ)

くじけそうになる心を奮い立たせ、啓はラウルが出ていったドアを見つめた。


ラウルが嫌がるのは分かっていても、啓はあれからどうしたんだと何度も聞いてみた。

ラウルの身体になにか変化が起こっているのは分かるのに、それを判明する手立てが見つからない。ラウルは啓が何度聞いても顔を背けて「なんでもない」と答えるだけで、考えることすら拒否しているように見えた。ラウルが協力してくれなければ、この異様な状況を打破する方法も見つからない。


「ラウル、待ってくれよ」

朝食の後ふらりとどこかへ行こうとするラウルを追い、啓は必死になって声をかけた。最初は部屋に引きこもっていたラウルだが、さすがに気が滅入ったのか、最近は行き先も告げずに外出するようになっていた。ラウルがどこに行っているのか心配でアシュレイに尋ねると、どうやら当てもなくさ迷い歩き、最終的には海辺でぼうっとしているらしい。こういう時、アシュレイの能力は便利だ。

「どうしてなにも話してくれないんだ？　ラウルが苦しいなら俺も知りたいのに」

タ・チェンチの村は断崖が多く、ラウルは切り立った崖の傍に立ち、真っ青に澄み渡る空を眺めて風に吹かれていた。啓が駆け寄って訴えても、ラウルは苦しげな顔をするだけでなにも言わない。

幻術が解けてからのラウルは、露骨に啓を避けている。近くに行くと顰《しか》めっ面《つら》をするし、触れられるのは極端に嫌がる。その昔ラウルに似たような避け方をされたこともあったが、あの時とは事情が大きく違った。今のラウルは啓を嫌悪しているようにしか見えない。

ラウルの意識が戻らなかった時、幻術さえ解けたら元通りになると思っていた。だが今のこの状態を考えれば、あの頃のほうがまだマシだった。

ラウルが自分を遠ざけようとする理由が、啓には一つしか思いつかなかった。

三年前のあの日、啓を逃がしたラウルが、自分の行為を後悔しているのではないか。そのあと自分に起こった出来事を考えれば、ラウルが啓を恨んでも仕方のないことだ。あるいはラウルは啓を愛しているといつも言ってくれていたが、気持ちが変わってしまったのかもしれない。三年経って、啓自身は自分がそれほど変わったとは思わないが、ラウルからすれば違うということもありうる。

《薔薇騎士《ローズナイト》》と《守護者《ガーディアン》》の絆《きずな》は深いはずだが、ラウルは啓に触れられるのさえ嫌がっている。

「……ラウル、お願いだ。どうして俺を避ける？　俺…を…、愛してるっていつも言ってくれたじゃないか…。あれは嘘だったのか？」

黙り込むラウルに業《ごう》を煮やし、啓は思わず感情をぶちまけた。ラウルが慌てた顔で振り返ったが、その顔はすぐに力なく伏せられた。

「ラウル、俺、ずっとあの入り江で別れてから苦しかった。なんであの時一人で逃げたんだろうって。ラウルが今苦しんでいるのは俺のせいだ、俺のせいで…」

「それは違う」

啓の言葉を黙って聞いていられなくなったのか、ラウルが強張った顔で否定した。

「俺は今でもあの判断は正しかったと思ってる。君がルイスに捕まっていたら、切り刻まれて最後の一滴まで血を奪われた。そんなのは許せない」

「ラウル…」

ラウルが否定してくれたのは嬉しいが、それならどうしてこんなにも自分を拒絶するのか。

「じゃあなんで、抱きしめてくれないんだよ」

理由が分からず、啓は拒絶するラウルの背中にぎゅっとしがみついた。抱きしめてもらえれば、ラウルが心変わりしてないかどうかすぐに分かるのに。腰に腕を回して触れ合うと、とたんにラウルはぎくりと身体を硬直させ、啓の腕を強引に解《ほど》いた。

「俺に触るな‼」

振り向きざまに烈火のごとく怒鳴られ、啓はびくっと震えた。ラウルの顔は青ざめ、硬く引《ひ》き攣《つ》っている。強烈な拒絶にも、啓は負けじと怒鳴り返そうとした。

――それを制するかのように、右手の刻印が熱くなる。

「え…っ」

ぎくりとして啓は右の手のひらに目をやり、うろたえた。右手は熱くなったり冷たくなったりと異常な反応を見せている。これは以前――ラウルが幻術にかかっていた頃にも起きた現象だ。啓の様子にラウルがなにかに気づき、動揺して身を震わせた。

「刻印が…反応してるのか？」

絶望的な表情でラウルがかすれた声を発した。

「違う…っ、これは…、違う…」

啓は大きく首を振って、背中に右手を隠した。ラウルに対して刻印が反応しているのを教えたくなかった。だがラウルには思い当たる節があるようだった。ラウルは髪を掻き乱し、激昂《げっこう》した様子でいきなり走りだした。

「ラウル！」

ラウルは常人には追いつけないスピードで駆けると、断崖絶壁から飛び降りた。一瞬息を呑み、啓は真っ青になって崖の端までよろめくように進んだ。ギリギリの場所まで行くと、崖下を覗き込む。ラウルが無事か心配だったが、ラウルは海に飛び込んだらしく、赤い頭が波間に揺れている。心臓が止まるかと思った。あまり驚かせないでほしい。

（どこへ行くんだよ。ちゃんと帰ってきてくれるのか？）

啓は痛いくらいに激しい自分の鼓動に怯《おび》えて息を吐

いた。

ラウルの姿が波間に消えてしまうと、啓は諦《あきら》めてその場から離れた。

悄然《しょうぜん》と歩いている啓を、レヴィンが迎えに来てくれた。レヴィンは憂《うれ》いを帯びた目で啓を見つめ、なにも言わずにそっと抱きしめてくれる。

「泣くな、他の男のために泣くお前は見たくない」

耳元で優しく囁かれ、泣いてないと言おうとしたが、頬が濡れているのに気づいた。手で拭おうとすると、レヴィンが屈《かが》み込《こ》み、舌で啓の涙をすくい取る。

「レヴィン、ラウルが苦しんでいるんだ。どうすればいい？」

目を閉じてレヴィンの肩に顔を埋《うず》めながら、啓は途方に暮れて尋ねた。レヴィンは長い綺麗な指で啓の頬を撫で、困ったように目を細めた。

「赤毛のことなど知らぬ…と言いたいところだが、確かにまずいことになっているようだな」

レヴィンはラウルが消えた崖のほうに視線を向け、呟いた。啓は誰にも言えないと思っていたラウルの秘密を打ち明けることにした。荒れ果てた大地には人影はなく、誰も聞いている様子はない。

「レヴィン…俺、ラウルといる時、刻印が時々反応する」

啓の潜めた声を聞き、レヴィンは驚くかと思ったが、意外にもかすかに瞳を揺らしただけだった。

「……そうじゃないかと思っていたが、やはりそうなのか…」

レヴィンがある程度想像していたのに、啓はびっくりした。《不死者》のレヴィンにはなにか思い当たることがあるのだろうか？

「ラウルが食べたものを吐き出した時、違和感に気づいた。俺にも覚えがあった。《不死者》になってから初めてパンを食べた瞬間、まるで砂を噛むような感じがして吐き出した。無味無臭でとても食べられなかった。ラウルも同じ感覚を味わったのかもしれないな」

レヴィンに指摘されて、啓はラウルがキッチンで吐いた時のことを思い出して青ざめた。

「ラウルは《不死者》になってしまうのか？」

間に合ったと思ったのに、あの日救出したのでは遅かったというのか。もしラウルが《不死者》になってしまったなら、どうすればいい。

「啓…、落ち着け」

震える啓の身体を、レヴィンの手が優しく撫でる。怖くて啓が顔を上げると、レヴィンの唇がそっと啓の唇に重なった。

「……ラウルは今限りなく《不死者》に近くなっているかもしれないが、まだ死んではいないんだ。なにか手があるだろう」

なだめるようなキスを何度もされ、啓は心を落ち着かせてこくりと頷いた。レヴィンは啓の肩に手を回し、家に戻るよう促す。

「アデラばあちゃんとか…、ラウルを助ける方法知らないかな…」

ラウルを助ける方法を模索しながら歩いていると、前方からアシュレイがやってきて、啓たちと合流した。

アシュレイは頭の痛くなる報告をしてくる。

「なにか気づいたのか、ルイスは薔薇騎士団の屋敷に立てこもって、得体の知れない集団を雇い入れたようです。その者たちに屋敷の周囲を見張らせているのですが、男たちは常にサングラスを着用しているとか…。文也たちは《不死者》ではないかと…」

これまでも馬鹿馬鹿しい報告を何度となく受けてきたが、これは中でも最悪の報告だった。

「《不死者》に見張らせてるって…本末転倒じゃないか。文也たちは大丈夫なのか？」

啓が呆れた声を上げると、アシュレイは悩ましげに溜息をついた。

「レベル2の《不死者》は能力を見せるか目元を見ないと、はっきり《不死者》と断定できないのを逆手に取ったのでしょうね。屋敷に《薔薇騎士》がいなければ、判別できない。ルイスはあなたが万一戻ってきた時を考えて、策を講じたようです」

「文也たちを人質にとったということか⁉」

「おそらく…」

　久しぶりにかっと頭に血が上った。もはや一刻の猶予もない。早くルイスの罪を白日の下にさらさなければ、大切な人たちが喪《うしな》われる。ラウルだって助けたと思ったのに、元の状態には戻れていないのだ。後悔してからでは遅すぎる、早く行動しなければならない。

「ラウルを無理やり連れていくことはできないのでしょうか？」

　アシュレイが啓とレヴィンに向かって、焦《じ》れた口調で問うてきた。啓がレヴィンに意見を仰ぐと、そっけない顔で首を振られる。

「今のラウルを連れていくのは、やめたほうがいいだろう。あいつは今闘える状態にない」

「そんな…」

　レヴィンに無理だと言われて、アシュレイは絶望的な表情になった。じりじりと焦る気持ちは増す一方なのに、思い切った手が打てない。どうすれば皆を助けられるのか。啓は必死で考えを巡らせた。

Ⅵ　生と死と

ラウルはなかなか戻ってこなかったが、夜が更ける前にふらりと戻ってきて、部屋でまた激痛に苦しんでいた。外でこんな状態になるのはまずいと本人も思ったのだろう。

ラウルは床に這いつくばり、汗びっしょりになって痛みに耐えている。兵藤《ひょうどう》がモルヒネを打とうとしたが、ラウルは暴れて叫び続けるだけだ。啓《けい》が必死になって押さえても、すぐに呻《うめ》き声《ごえ》を上げながら身体を跳ね上げる。

「まったく困った奴だな…」

出かけていたレヴィンが戻ってきて、ラウルの身体にのしかかり、床に押さえつけた。それでもラウルはもがいていたが、レヴィンを撥《は》ね除《の》けることはできなかったようだ。その間に兵藤がラウルの腕に注射を打ち、少し経つとラウルの身体から強張りが取れ始めた。

「うう…う…」

ぐったりとした様子で、ラウルがかすれた声を出す。レヴィンが身体をどかすと、ラウルは朦朧《もうろう》としてうわごとを呟いた。

「マンマ…扉を開けてくれ…、俺は外に…出…たい」

薄れてゆく意識の中、ラウルは何度もそう呟いている。マンマとは母親のことだろう。痛みに苦しむラウルが母親を思い出しているのかと思うと、つらかった。扉を開けてくれとはどういう意味だろう？　ラウルの母親は亡くなっている。なにかつらい思い出かもしれない。

ラウルが落ち着くと、兵藤を帰し、啓はレヴィンと三階の部屋に戻った。レヴィンとは総帥になるかどうかについて、未《いま》だに話は平行線を辿っている。だがレヴィンは薔薇《ばら》騎士団《きしだん》の屋敷に入れないし、ラウルがこんな状態では、総帥になったとしてもなんの意味があるのか啓には分からない。

「だからさ…」

議論の途中で睡魔に襲われあくびをすると、レヴィンの手が頬を撫で「もう寝ろ」と促してきた。ラウルは注射を打たれると朝までは静かに寝ている。啓はいつもその間に睡眠をとっていた。

「ん…寝る。おやすみ、レヴィン」

啓がベッドに潜り込むと、いつものようにレヴィンがベッドに腰を下ろして啓を見守る。ふと顔を上げて、啓はベッドを半分開けてレヴィンを見上げた。

「レヴィン、たまには添い寝してよ」

「添い寝?」

レヴィンは《不死者《アンデッド》》なので眠らないが、なんとなく甘えたくなった。啓が掛布団をまくると、不思議そうな顔でレヴィンが隣に滑り込んできた。

「啓…」

横に潜り込んできたレヴィンが啓の唇にキスしようとする。それを慌てて止め、啓はレヴィンの口を押さえた。

「ダメ。下に皆いるし。もうすごく眠いから」

レヴィンは二人きりになると、色っぽい目で誘うように見つめてくるが、まだそういった行為をする気になれなかった。アシュレイとエミリーは交替で監視を続けているし、ラウルは苦しんでいるのだ。大変なことを任せているのに、自分たちだけ好きにするわけにはいかない。

「……つまらん」

不満げにレヴィンが呟き、片肘をついて啓の髪を指先で弄《もてあそ》んだ。そういえばこんなふうにレヴィンと同じベッドで寝るのは初めてだ。新鮮な気持ちで啓はレヴィンを見つめ、また一つあくびをした。

「おやすみ。よい夢を」

レヴィンが優しく囁《ささや》き、啓の額にキスをする。啓は目を閉じて、安心感に包まれて眠りについた。レヴィンの気配を感じながら眠るのは心地よかった。右手はほのかな熱を伝えているが、それほど嫌な感覚ではない。

　最近啓の右手の刻印は、近くにいる《不死者》の判別ができるようになった。試練の間や幻想の間の経験が役に立っているのかもしれない。レヴィンやアデラといる時はじんわりした熱で、見知らぬ《不死者》相手には警戒してか鋭い痛みに似た熱を発する。スティーブンは刻印と魂は繋《つな》がっていると言っていた。一理ある気がする。

　夢も見ないほど深い眠りにおち、啓は物音で目覚めた。

　ぱちりと目を開けると、階下から壁か床になにかがぶつかっている音がする。レヴィンは寝る前とほとんど同じ姿勢で啓を眺めていて、時間が経過していないような気になった。再び大きな音が、下から聞こえてくる。啓は動こうとしないレヴィンをベッドに残して起き上がり、階段を下りていった。ちょうど一階から雄心《ゆうしん》とアシュレイが駆けつけたところで、合流してラウルの部屋のドアをノックした。

「ラウル？　開けるぞ」

　嫌な予感がして返事を待たずにドアを開けると、異様な光景が目に飛び込んできた。ラウルが壁に向かって身体や頭を打ちつけているのだ。

「ラウル⁉」

　叫ぶなり啓は部屋に飛び込んだ。

「うう…っ」

　ラウルはこめかみから血が流れるのも構わず、激しく壁に身体をぶつけていく。壁が音を立てて揺れ、ラウルの身体に傷をつけていく。

「な、なにしてんだ？　昼なのに痛むのか⁉」

　兵藤は通いでここに来ているので、まだ昼のこの時間帯では来ていない。啞然としてラウルを背中から押さえつけようとしたが、ラウルの衝動を抑えることはできなかった。

「クソ…ッ、畜生…ッ」

　ラウルはしがみつく啓と雄心を振りほどき、近くにあった椅子を摑むと、床に目がけて叩きつけた。木材でできた椅子はバラバラに砕け、破片が周囲に飛び散る。ラウルは折れた木の破片を手に握ると、自らの腕や足を突き刺しだした。

「ラウル!!」

自傷行為を始めたラウルに蒼白になり、啓は焦ってやめさせようとした。ラウルは床にへたり込み、ざくざくと太ももを傷つける。ラウルの血が流れ、鋭利な木の先端が肉にめり込んだ。

「やめろ!! ラウル!!」

啓が室内に響き渡る声で制すると、ラウルの大柄な身体がびくりと震えて止まった。

ラウルは絶望的な表情で手から木の破片を落とし、血に濡れた手で床を叩きつけた。

「啓…、啓…、助けてくれ!」

すがるような目つきで、ラウルが一転して悲痛な声を上げた。ラウルは床に頭を押しつけ、赤毛を掻き乱す。

「なにも感じない…っ、なにも感じないいんだ…っ!!

痛みもない…っ、俺は本当に生きているのか!? 何故こんなに、なんの感覚もないんだ…っ」

胸を震わせる声でラウルが恐ろしい告白をした。啓は凍りつき、ラウルを凝視した。

「なに…? どういう…こと? ラウル…ッ」

血を流すラウルに真っ青になって駆け寄ると、苦しげな叫びが周囲を満たす。

「なにも分からない…っ、水の冷たさも、風も感じない、俺は死んでいる…っ、生きながら死んでいるんだ! こんなに血を流しても、なにも感じない…っ!!」

皮膚が裂けて血を流す太ももを見せつけ、ラウルは恐怖に顔を引《ひ》き攣《つ》らせた。

そういうことだったのか——啓はようやくその恐ろしさに気づいた。

ラウルは夜はあれほどの激痛に苛《さいな》まれるのに、昼間はまったくなんの感覚も得られないのだ。これほど自分を傷つけても感覚が戻らないなんて、どれほどの恐怖だろう——啓はどうしたらいいか分からず、けれどどうにかしなければとラウルに手を伸ばした。

「なんという…」

後ろにいたアシュレイが事実を知り、呆然とした声を発した。啓が床にうずくまるラウルを抱きしめようとすると、遅れて部屋に入ってきたレヴィンが眉を顰《ひそ》めた。レヴィンは静かにラウルの傍に歩み寄る。

「レヴィン…」

啓はラウルと同じくらい青ざめた顔で、レヴィンに助けを求めた。レヴィンはちらりとラウルを見下ろし、ラウルから啓を引き離した。

「しばらく三人にしてくれないか」

レヴィンは啓とラウルの間に割って入ると、アシュレイと雄心を部屋から追い出した。二人は気がかりな様子ながらも啓たちに任せると決めてくれた。二人が消え、ドアに鍵をかけると、レヴィンは床に這いつくばるラウルの前に膝をついた。

そして、思いもよらなかった一言をラウルに告げた。

「――ラウル。お前は、啓の血が飲みたいんだろう？」

信じられない言葉を放ったレヴィンに、啓は驚愕《きょうがく》に四肢を震わせた。なにを言っているんだと笑おうとしたのに、当のラウルは戸惑うくらい真っ青になっている。

「俺は《不死者》じゃない！」

心を揺さぶるような声でラウルが叫んだ。その顔は今にも泣きだしそうで、啓はハッとした。今まで何故ラウルが自分をあれほど避けていたのか、理由がようやく分かった……。自分は馬鹿だ。ラウルが真に避けようとしていたもの、認められずにいたものに露ほども気づかずにいた。

「俺は《不死者》じゃないんだ‼」

それはラウルにはどうしても認められないことだったのだろう。自分が蔑んでいたものと同じ行為をする――ラウルにとってどうしても越えられない一線に違いない。だからこそ自分が《不死者》になりつつあるのに、それを認められず、啓たちにさえ悩みを打ち明けられずにいたのだ。啓は胸が熱くなった。今まで気づいてやれなかったのを悔やんだ。ラウルが自分の血を欲していたなんて、全然想像もしなかった。

「ラウル…、ごめん、俺が…、俺がもっと早く…」

ラウルがこんなふうになってしまったのは、啓の責任だ。救いたかったのに、救えなかった。なにもかも遅かったのか。

絶望というものを啓は痛いほど感じていた。こんなにも自分は無力で、すべては手からこぼれ落ちていく。もっと早くラウルを助けに行くべきだった。あの時アダムの仲間になっていれば、ラウルがこんなに苦しむことはなかった。自分の選択は間違っていたのか。マリアを奪われ、ラウルも助けることができなかったなんて、自分の無力さを痛感した。

考えても、考えても、分からない。分かるのは、自分がなにかを間違えてしまったということだけ。

どうすればいいのかなに一つ分からなかった。

「飲んでみればいいんだ。お前は自分を余計に苦しめている」

静かな声でレヴィンが呟き、強張った啓の身体を抱き寄せた。啓はレヴィンが示した道に、驚きのあまり言葉を失った。レヴィンがなにを言っているのか、理解できなかった。

「啓、ナイフを持っているか？」

「え？　う、うん…」

ここに移動してからはなにが起きてもすぐ動けるように、服のまま寝るし、ナイフも常に携帯している。啓がポケットから折り畳み式のナイフを出すと、レヴィンがそれを受け取った。レヴィンはなにをしようとしているのか。もう啓は訳が分からなくなって、レヴィンに全て任せることにした。これ以上悪い状況などもうない。だとしたら、試せることは試したほうがいい気がする。

「少しじっとしていろ。あまり痛くないようにする」

レヴィンは床に座って啓を膝に抱き込むと、啓の耳《みみ》朶《たぶ》に手を当てて囁いた。ナイフの刃先が耳朶に当てられて、次の瞬間、そこが熱くなった。

「ん」

　耳朶をナイフで少し切ったのだろう。啓が目を開けると、頭を抱え込んでいたラウルが、ぎくりとした様子で顔を上げていた。ラウルの顔つきが変わっている。目が啓の耳朶に吸い寄せられているのが分かる。息遣いが荒くなり、獣のような目つきになる。

「飲みたいんだろう…無理をするな。啓の血の匂いが分かるんだろう?」

　揶揄《やゆ》するようにレヴィンが言うと、ラウルが憎々しげに睨《にら》み返《かえ》した。ラウルは懸命になにかを堪《こら》えていた。だが振り払ってもまといつく幻影みたいに、ラウルは何度も顔を背けようとするものの、いつしかその目は啓の耳朶に吸い寄せられてしまっていた。

「クソ…ッ、俺は…っ、俺は…っ」

　握りしめたまま床に置かれたラウルの拳《こぶし》が、大きく戦慄《わななな》いていた。啓の耳朶から血が垂れて、首筋に伝わるのが分かった。流れ落ちる血の滴《しずく》を見ていられなかったのか、ラウルが獰猛《どうもう》な顔つきで啓の肩を摑んだ。

「う…っ」

　ラウルの荒い息遣いが聞こえたと思った瞬間、耳朶にラウルの唇が吸いついてきた。強く耳朶を吸われ、「ん…っ」と啓は小さな声を上げた。背後にはレヴィンがいて、血を舐めるラウルを青いガラス玉みたいな目で冷静に眺めている。

「はぁ…っ、はぁ…っ」

　ラウルは流れ落ちた首筋の血を舌で舐め、再び耳朶を吸ってきた。耳朶を吸う濡れた音が室内に響き渡る。血を吸われているだけなのに、何故か淫靡《いんび》な行為を思い出して啓は目を閉じてじっと息を潜めていた。

　やがて啓の耳朶につけられた傷口がふさがり、血が止まったのが分かった。焦《じ》れたような息遣いでラウルが啓の腕を摑んでいた手に力を込める。

「痛…っ」

　ふいにラウルが啓の耳朶に歯を立てた。まるでもっと出せと言わんばかりに傷口を広げる。

「おい…」

啓の耳を噛み切ろうとする勢いのラウルを、レヴィンが止めた。ラウルの顔を押しのけ、その行為をやめさせようとする。

「俺はもっと飲みたいんだ！」

身体の奥底から突き動かされたみたいに、ラウルが低く抑えた声で怒鳴った。

「いいよ…」

啓がレヴィンの手をやんわりと押し留めると、ラウルがまた耳朶に吸いついてきた。飢えた子どものように耳朶を舐めてくる。時々ぞくりとする感覚が生まれて、そんな場合ではないというのに、身体が熱を帯びてきた。

「それ以上は危険だ。やめておけ」

断固とした口調でレヴィンが告げ、ラウルを啓から引き離そうとした。そんなレヴィンを厭《いと》うかのように、ラウルは自制が利《き》かなくなった様子で、強情に啓の耳に歯を立てる。レヴィンが背中から啓を抱き込む形になり、急に苦しげな息が耳元をくすぐった。

レヴィンが長い腕を伸ばす。

「やめろと言っているだろう！　俺まで抑制が利かなくなる!!」

ラウルの赤毛を掴み、レヴィンが乱暴に啓から遠ざけた。ラウルが恐ろしい形相でレヴィンを睨みつける。二人の間に挟まれている啓は、次の瞬間殺し合いが始まるのではないかと怯《おび》えた。間近で睨み合う二人は、両方息遣いが荒くなっている。

「我慢できない…っ、クソ…ッ」

ラウルはやおら啓のベルトに手をかけ、忙しく下肢をくつろげようとしてきた。

「ラウル!?」

ラウルの手によってズボンが下ろされ、啓は焦って声を上げた。慌てて止めようとしたが、ラウルは無理やり下着も引きずり下ろしていく。今にも爆発しそうだったレヴィンも、ラウルの行動に意表を突かれたように目を見開いた。

「まったく…非常時でなければ許さないところだ…」

レヴィンが忌々しげな口調で呟き、背後から啓の両腕を握る。

「レヴィン!?」

抵抗しようとした腕をとられ、啓は焦って声が引っくり返った。

「……レヴィン…ッ、ちょ…っ」

抗おうとしたが下肢を剝き出しにされて、ラウルの前に下腹部をさらす格好になった。ラウルは啓の下腹部に顔を寄せ、まだ萎えている性器を口に含んだ。

「う、そ…っ、な、なにして…っ」

レヴィンの前でラウルに性器を銜《くわ》えられ、啓はかーっと真っ赤になって逃げようとした。それを後ろからレヴィンが阻止する。

「少し辛抱しろ…お前の血の匂いで、俺も危険な状態になってきた」

レヴィンが耳元で囁き、まだじわりと滲《にじ》んでくる血を、舌で舐めた。レヴィンの手が啓の手首から離れ、胸元を這い回る。シャツのボタンを外して乳首を探られる。

「ん…っ、や、やばいって…っ、こんなの…っ」

性器を舐められ、乳首を弄《いじ》られ、急速に発汗してきた。二人に身体を弄《まさぐ》られて、平静でいられるはずがない。啓は自由になった手で、ラウルの頭を押しのけようとした。うるさそうに顔を上げたラウルは、広げたシャツの胸元に揺れるメダイと二重の指輪に気づき、一瞬だけ動きを止めた。だがすぐに目を逸らし、まるでそれを見るのを嫌がるように再び性器を銜え込む。

「ダメだってば……っ、もうなにやってんの、二人とも…っ」

二人のことは好きだが、こういう行為を一緒にやるのはどう考えてもおかしい。そう思ってやめさせようとするのだが、ラウルは逆に啓の性器を深く銜え込み、激しく動かしてくる。

「や…っ、ぁ…っ、や、だ…っ」

ラウルの口の中で自分のモノが反り返っていくのが

分かった。息が乱れ、頭の芯がぼうっとしてくる。

「ひゃ…っ、ぁ…っ」

レヴィンが耳朶をしゃぶりながら乳首をこねる。いつの間にかシャツの前は全開にされて、レヴィンの指が両方の乳首を弄っていた。レヴィンの指で弾かれると、乳首がぷくりと立ち上がる。こんな行為はいけないのに、ひどく気持ちよくなってしまって、背後のレヴィンにくたっともたれかかってしまった。

「や、ぁ…っ、あ…っ、ん…っ」

啓の抵抗がやむと、ラウルは根元に手を添えて、先端を舌で舐め回す。びくりびくりと啓は震え、甘ったるい声をこぼした。先ほどまでは性急な動きだったのに、ラウルは啓を焦らすようにゆっくり舌を這わせている。

「んん…っ」

ようやく血が止まったのか、レヴィンが耳朶から口を離し、啓の首筋に移動してきた。首筋の柔らかい部分をきつく吸われ、身を揺らす。

「啓…」

レヴィンの片方の手が乳首から顎《あご》に回り、後ろを振り向かされる。レヴィンの唇が深く重なり、啓は押しのけようとしてラウルの頭に置いていた手を、力なく床に落とした。するとレヴィンとのキスに嫉妬したのか、今度はラウルが啓の性器を口内に引き込み、激しく口を上下してきた。

「んー…っ、んう、ぅ…っ」

ラウルの口の動きに我慢ができなくなり、啓は下肢を震わせて、絶頂に達してしまった。レヴィンの唇にふさがれて声は出なかったが、何度も腰を揺らして、ラウルの口の中に射精してしまう。

「はぁ…っ、はぁ…っ、は…っ」

ようやくレヴィンが唇を離すと、息苦しさから啓は荒く呼吸を繰り返した。ラウルは丹念に最後の一滴まで搾《しぼ》り取《と》り、啓の精液を飲み下す。二人の前で達してしまったことが恥ずかしくて、啓は息を荒らげながら腕で顔を覆った。二人の顔が見られない。見たくなかった。

「え…っ?」

　もう終わりだと思ったのに、ラウルが再び啓の性器を手で扱《しご》き始《はじ》める。それればかりか濡れた指を啓の尻のすぼみに無理やり入れてきた。

「ま…っ、待って、そ、れは…っ」

　ラウルの指がずぶりと中に入ってきて、内部で蠢《うごめ》き始《はじ》める。レヴィンは止めてくれると思ったのに、苦々しい顔つきで見ているだけでそれを止めない。

「ひあ…っ、あ…っ」

　ラウルの指で内部を掻き混ぜられ、一度萎えた性器がまたもたげ始めた。久しぶりにラウルに中を弄られた感触は強烈で、そのうえそれをレヴィンにじっと見られているのが羞恥心《しゅうちしん》を誘った。嫌なのに甘い声がこぼれてしまう。レヴィンは制止するどころか、啓の乳首を引っ張って啓の身体にまた火をつける。

「ふ…二人とも、なに考えて…」

　ラウルは啓の性器を舌で舐め回しながら、性急に奥を広げていく。入れられた指で襞《ひだ》をかき分けられ、強引に二本の指を突っ込まれると、啓は声を殺せなくなってきた。

「レヴィン…、ラウル…、こんなのやばいって…、やめてくれよ…ぉ」

　感じるたびに身を揺らし、啓はレヴィンの腕の中で熱っぽい息を吐いた。レヴィンの指はずっと乳首を弄っていて、啓をじわじわと熱くさせる。レヴィンが身体をずらして啓の乳首に舌を這わせると、もうひどく気持ちよくなってしまって、声が甲高くなっていく。

「あ…っ、や、だ…っ」

　ラウルが指を抜いたと思う間もなく、ズボンと下着を一気に引き抜かれた。下半身を剝き出しにされ、抗う間もなく、ラウルが足を抱え上げてくる。自然とレヴィンに上半身を預ける体勢になった。ラウルは手際よく自分の下腹部を広げると、すでに屹立《きつりつ》していた性器を啓の尻のはざまに押し当てる。レヴィンは動きを止めて、身体を強張らせた。

「ほ、本気でやるのかよ…」

レヴィンが見ているのに。啓は怯えてラウルを押し返そうとしたが、躊躇《ちゅうちょ》なくラウルは腰を進めてきた。ラウルは啓ではなく、レヴィンを挑むような目つきで見ている。レヴィンも怖い目でラウルを見ているのが分かる。

「ひゃ…っ、ぁ…っ」

まだ狭い内部に、ラウルの熱が一気に押し入ってくる。啓は身体を広げられる感覚に動揺し、背後のレヴィンの腕を掴んだ。

「やぁ…、ぁ…っ」

レヴィンの前でラウルに犯されていると思うと、羞恥で頭の芯が焼き切れそうだった。もうどうすればいいか分からない。見られたくないのに、レヴィンの視線を感じると、身体の奥から熱くなってしまう。

ラウルは最初からがつがつと内部を突き上げて、啓を快楽の荒波に放り込む。

「ひ…っ、ん…っ、う…っ」

生理的な涙がこぼれ、必死になってレヴィンにしがみついていた。レヴィンは無言でラウルの行動を見ている。レヴィンがなにを考えているか分からなくて啓は動揺した。ラウルも啓を犯しているのに、視線はほとんどレヴィンに向けられていた。レヴィンに見せつけるような、あるいは威嚇《いかく》するような態度だ。

ラウルが中で達するまでは、長くもあり、短くもあった時間だった。ラウルの息遣いがより荒くなったと思うと、啓の中に欲望の証《あかし》を注ぎ込む。啓は全力疾走した後みたいな荒い呼吸を繰り返していて、ラウルが達した頃には汗だくだった。

「う…っ、ぅ」

ラウルは気持ちいいとも苦しいともとれる声を上げ、啓の内部から性器を引き抜いた。ラウルの出した精液が尻の穴から垂れ落ち、啓はその卑猥《ひわい》さにぞくぞくとした。ラウルは啓を見つめるのではなくほとんどレヴィンと睨み合っていて、セックスというより喧嘩《けんか》のようだった。

突然ラウルが、信じられない言葉を発した。

「レヴィン、あんたもやれよ」

ぎらついた目でレヴィンを睨み、ラウルが告げる。

啓はびっくりして息を呑んだが、レヴィンは逆に溜めていた息を吐き出し、もたれかかっていた啓の背中をはがす。今度はラウルの胸に抱かれる格好になり、啓はうろたえた。

「嘘…っ、わ…っ」

背後で下肢をくつろげる気配がしたかと思うと、レヴィンが啓の腰を引き寄せ、硬くなったモノを先ほどまでラウルが入っていた場所に押しつけてきた。レヴィンもとっくに熱くなっている。

「ひあ…っ、あ…っ」

迷うことなくレヴィンも硬いモノを啓の内部に埋め込んできた。尻を抱え上げられ、背後からレヴィンがのしかかってくる。レヴィンも最初から激しく啓の尻を突いてきた。レヴィンに犯されているところをラウルがじっと見ている。それがいたたまれなくて、啓は床に手をついた。

「あ…っ、んん…っ」

ラウルの手がするりと胸元に差し込まれる。ラウルの指先で乳首を弾かれ、啓は身体を反らせた。レヴィンが動くたびに濡れた音が響き渡る。先ほどラウルが出した精液がレヴィンの性器で搔き混ぜられ、泡を立てて時々あふれてくる。

「ひ…っ、ん…っ、うう…っ」

レヴィンの動きがいっそう激しくなり、奥を突かれるごとにあられもない声がこぼれる。二人を好きになり、二人と関係を持った啓だが、こんなふうに両者から休みなく犯されて、背徳感で頭がくらくらした。

「あ…っ、あっ、や、ぁ…っ」

中にラウルの精液を注がれたせいか、レヴィンが突き上げるたびに、ぐちゅぐちゅという卑猥な音が響き渡った。長い間奥を突かれているせいで、頭が真っ白になるほど気持ちよくなっている。理性が吹っ飛んでしまいそうで啓は怖くなった。

「啓…」

ラウルが啓のうなじを摑み、深く口づけてくる。するとそれが嫌だったのか、レヴィンが根元まで性器を押し込んで啓の身体をびくりとさせた。

「んんん…っ」

レヴィンにぐりぐりと深い奥を揺らされて、必死になってラウルにしがみつく。射精はしていないが、何度も絶頂に達したような快感が身体を走った。

「んんー…っ、ぷ、は…っ、ひ…っ」

呼吸が苦しくなり、ラウルの唇を強引に離して、きつくラウルの首にしがみついた。

「ひあああ…っ!!」

耐え難い快感に包まれ、啓はびくんと大きく背中を反らせて四肢に力を入れた。気づいたら勃起《ぼっき》した性器から、白濁した液が飛び出していた。ラウルとレヴィンに内部を突かれ続けて、快楽が身の内に溜まっていた。啓が射精すると同時に銜え込んだレヴィンを締めつける。

「う…っ、く…、はぁ…っ」

今度はレヴィンが息を詰め、中にどろりとした精液を吐き出してくる。

「はぁ…っ、はぁ…っ、は…っ」

レヴィンの動きがようやく止まり、啓は苦しげに酸素を取り込んだ。

レヴィンがゆっくりと性器を引き抜くまで、コントロールできない熱に悶《もだ》える。啓を犯していたレヴィンも、ラウルを意識していた。ずっとラウルを煽《あお》るように睨み、啓を穿《うが》っていた。これはセックスなのか、あるいは喧嘩なのか。ずるりとレヴィンの熱が抜け出て、啓は床にぐったりと倒れ込んだ。

室内に響く息遣いが、誰のものだかさえ分からない。啓はひくひくと身体を震わせ、荒い息のまま目を閉じた。

ずいぶん眠ってしまったらしく、目覚めると部屋はすでに薄暗かった。

いつの間にかベッドに寝かされていて、啓は慌てて上半身を起こした。ちゃんと服も着ているし、シャツのボタンも一番上まで留まっている。

「レヴィン…」

掛布団を跳ね飛ばして啓は横を向いた。レヴィンは啓の隣に腰を下ろしていて、啓が起きると少しだけ視線を動かした。部屋の電気がついていないが、ラウルがいないのはすぐ分かった。

「ラウルは?」

不安げに啓が問うと、レヴィンは窓へ顔を向け「さぁ」と答えた。

「どこかへ出ていった。行き先は知らない」

そっけない口調でレヴィンに言われ、啓は眠る前までの行為を思い出して複雑な表情になった。ラウルに血を飲ませた挙げ句、二人から犯された。思い起こしてみても、愛の行為にはあまり思えなかった。レヴィンとラウルは啓を見ていなくて、互いに闘っているみたいだった。

「なんだよ、あれ…。喧嘩みたいだったじゃん…、どうしてあんな真似したんだよ」

啓の問いにレヴィンは物憂げな顔で答えを返さなかった。

「レヴィン…、俺は喧嘩の道具になるのは…」

嫌だ、と言いかけた瞬間、レヴィンが振り向きざまにのしかかってきた。びっくりして啓はシーツに押し倒され、苦しげな顔をするレヴィンを見上げた。レヴィンの金糸がさらさらと肩からこぼれてくる。レヴィンは額がくっつきそうなほど顔を近づけ、やるせない溜息をこぼした。

「あれは喧嘩ではない…。啓、俺だって嫌だった。お前を誰かと共有するなんて…」

切ない眼差《まなざ》しで見つめられ、啓は息を呑んだ。レヴィンの金色の髪が頬をくすぐり、ゆっくりと唇が落ちてくる。レヴィンは長く押しつけるだけのキスをして、そっと離れた。

「想像するだけでも嫌なのに、目の前で見せられて…、強烈に嫉妬した。それはあいつも同じだろう」

レヴィンの細く長い指が啓の額から頬へと流れていく。啓は鼓動を速めてレヴィンをひたすらじっと見つめていた。レヴィンの吐息が震えている。

「だがその一方でこうも思っている…。俺がいずれ滅んだら、お前を任せるのはあいつ以外いないと…」

「レヴィン！」

黙って聞いていられなくて、啓はレヴィンの声を遮《さえぎ》った。

「やめろよ、そういうの！　俺を任せるとか…、俺は俺だ。レヴィンは俺の保護者か⁉　そんなふうに上から考えられるのは、嫌だ。俺はレヴィンの手を放さない、勝手にそんなことを決めるな！」

もどかしい思いを感じて啓が怒ったように叫ぶと、レヴィンは口をつぐみ、啓を見つめ返してきた。

「……俺は身の程を弁《わきま》えるべきだった」

独白めいた呟きが聞こえて、啓はぎゅっと唇を噛んだ。《不死者》であるという身の程を？　啓は嫌みを言い返したい衝動に駆られ、爆発しそうな気持ちを必死に抑え込んだ。レヴィンは啓よりずっと大人だから、正常な道へ戻らねばならないとでも考えているのだろうか。そんなのは絶対嫌だ。今さら啓から離れるなんて、認められるわけがない。そんな覚悟しかないなら手を出さないでほしかった。

レヴィンもラウルも好きだと認めた時点から、啓はずっと同じ考えだ。どちらも失いたくない、どちらも大切な《守護者《ガーディアン》》だ。

レヴィンの葛藤は啓にも痛いほど分かる。自分がもし《不死者》だったら、啓も同じように考えたかもしれない。愛する人を、自分と同じくらい愛している人がいたら、身を引くべきなのではないかと思ってしまう。

レヴィンは目覚めてからどこか変わった。以前は自制が利かずに残忍になったり、己の欲望に歯止めが利かなくなったりした。啓の血を飲んでからレヴィンは少しずつ変貌している。怒りも抑えるようになり、ラウルと一緒に啓を抱くというありえない行動にも出た。前のレヴィンなら、三人で交わるなど、絶対にありえなかっただろう。

このままレヴィンもラウルも離れていってしまったら、どうすればいいのだろう。

身を切られるようなつらさ。そんなものは二度と、絶対に味わいたくない

「……分別なんて、くそくらえだ」

レヴィンの苦しげな顔つきを見ていたら、自然と啓の唇からそんな言葉が漏れた。両手を伸ばしてレヴィンの耳を引っ張ると、びっくりした顔でレヴィンが見下ろす。

やっぱり許せない。どちらの《守護者》も自分から離れるなんて。

「お前は今は俺の《守護者》だ。俺が選ぶことはあっても、お前が勝手に身を引くなんて許さない」

無性に腹が立ち、啓は頭ごなしにレヴィンに命じた。呆れるほど暴君な台詞《せりふ》を吐き、啓はレヴィンの顔を引き寄せて唇を重ねた。

失ったらどうしようなどと考えるのは性に合わない。

全部この手で摑みとる――。熱く重なってくるレヴィンの唇を食《は》み、啓は胸に炎を灯した。

出ていったラウルが気になり、啓はレヴィンと階下に下りた。リビングにはアシュレイとエミリーがいた。雄心はキッチンでなにかしているらしい。

「アシュレイ、ラウルがどこに行ったか分かる?」

啓がソファで話している二人の傍に進むと、二人とも困った顔で首を振る。二人は傍目にも分かるくらい意気消沈している。ラウルの状況を知り、案じているのだろう。

「ラウルはすごい勢いで飛び出していきました。途中

からあまりの速さに見失ってしまって…」

アシュレイが申し訳なさそうに告げる。ラウルがどこに行ってしまったのか分からず、啓はやきもきして捜しに行くべきか待つべきか迷った。そうこうするうちに夜の帳《とばり》が下りて、兵藤がやってくる時間になる。

ラウルは夜になっても戻ってこなかった。夜になると激痛がラウルを襲うのに。どこでどうしているのかまったく分からない。

「これから我々はどうするべきなんでしょうか…」

夕食の席でアシュレイはほとほと困り果てた様子で呟いた。アシュレイがこんなに情けない声を出すのを聞いたのは初めてだ。ラウルが《不死者》のような身体になってしまい、アシュレイとしてもこれからの展望を描けずにいるのだ。アシュレイはラウルがアダムに捕らえられるのを見ているしかなかった自分をずっと責めていて、その分ラウルが救出された時は仲間の中の誰よりも喜んだ。それが今は悪い報告ばかり上がってきて、表情はこの世の終わりといった感じだ。

「もう最悪、屋敷に攻め込むしかないでしょ」

黒い長髪をアップでまとめたエミリーが、テーブルに身を乗り出して目を光らせた。

「攻め込む…と言いましても、肝心のラウルが絶望的なんですよ」

向かいに座っていたアシュレイが顔を顰《しか》める。

「レヴィンがいるじゃない。レヴィン、一緒に屋敷に殴り込みに行ってくれるでしょ？」

エミリーはテーブル席からソファに座っているレヴィンに声をかける。新聞に目を通していたレヴィンは、ちらりと啓を見やって軽く頷いた。

「しかしレヴィン一人では…。《不死者》だけではない、衛士《えじ》もいるんですよ。銃を所持しています」

「根回ししてたんじゃないの？」

「根回しはしました。衛士たちは基本ルイスが総帥の座にいる限りは従いますが、その座を追われたら従いません。そのためにもラウル自身が捕らえられていたと訴えることが重要だったのです。そのラウルがあんな調子では…」

アシュレイが神経質に眼鏡《めがね》のレンズを拭《ふ》き、首を振った。

「私の責任でもありますな…面目ないことです」

兵藤はラウルを治療できない己を責め、頭を下げる。

「……」

重苦しい雰囲気を変えるためか、キッチンから雄心がエプロン姿でやってきて、マフィンが載った皿を中央に置く。食後のデザートだろうか。マフィンの中にはナッツが入っていて美味しい。一口食べたエミリーが嫌そうな顔で「私が作るより上手くなってない？」と呟く。

「やるなら、同時に四方から攻めなければなりません。啓の祝福した剣の効力は約十五分。もたもたして《不死者》にメンバーを人質にとられたらたまりません。文也《ふみや》から《不死者》たちが警備についている場所のマップはひそかにメールでもらいました。彼らは屋敷の外や屋敷内の廊下、ドアの前、階段などに配置されています。すべてレベル2の《不死者》であると考えて間違いないでしょう」

アシュレイがメールに添付された画像を印刷したものをテーブルの上に広げた。啓はマフィンにかじりつき、それを覗き込む。

屋敷の見取り図の廊下や階段の踊り場にバツ印がついている。そこに《不死者》が配置されているのだろう。考えてみれば眠る必要もない《不死者》は警備に最適かもしれない。

「屋敷内では彼らが現れてから、メイドが数人姿を消したようです。もしかしたら食糧にされているのかも…」

アシュレイの発言に全員が眉を顰めた。《不死者》は決して統率のとれた集団ではない。腹が減って近くにいる人間に手を出すことはありえる話だ。

「地下通路から入ればいい」

それまで黙っていたレヴィンがソファから立ち上がり、テーブルのほうに足を進めて呟いた。レヴィンの意見に皆が顔を向けると、レヴィンは優雅なしぐさで見取り図の地下の貯蔵庫を指差した。

「いざという時のために貯蔵庫から外に抜ける地下通路がある。バートンは知っているはずだが…。この壁の一部が通り抜けできるようになっている。壁にレバーが埋め込まれているはずだ」

「そんな秘密通路があったのですか？」

　アシュレイが目を見開き、レヴィンが示した場所を丹念に調べる。地下広間への入り口とは反対方向に、その抜け道は存在していた。

「なるほど、ここからならルイスを出し抜いて《不死者》を消すことができる…」

　地図を見てアシュレイが真剣に考え込んでいる。啓は時計を見つめ、ラウルが帰ってこないのを心配した。

　話し合いをしているうちに夜が更け、啓は自室に戻って休んだ。今夜ゴゾ島を監視するアシュレイに、ラウルが見つかったらすぐ教えてくれと頼んでおいた。

ラウルは今頃どこでなにをしているのか。

気になったまま眠りにつき、朝が訪れた。

　朝日で目覚めた啓の元に、アシュレイからラウルを見つけたという報告がきた。

「どこ⁉」

　啓が急《せ》き込《こ》んで聞くと、ジィガンティーヤ遺跡の辺りにいるという。それほど離れていなかったこともあって、啓はすぐさまラウルを連れ戻すために家を飛び出した。レヴィンも一緒に行こうとしたが、また昨日みたいに一触即発の状態になっては困ると思い、一人で行くと告げる。レヴィンは不満げな顔でしぶしぶ承知した。ゴゾ島内の安全はアシュレイが示している。

　外に出ると、心地よい風と澄み渡る青空が広がるいい天気だった。

　ラウルを捜しに啓は駆け出した。

Ⅷ　守護者

ジィガンティーヤ神殿遺跡は、ゴゾ島の北方シャイラ村にある。紀元前3600年頃のものといわれる巨石神殿の遺跡で、大きな石や岩が積み上げられたものが横に長く広がっている。マルタにはこういった巨石神殿がいくつもあり、それぞれ造られた年代は違うが、世界文化遺産に指定されている。

啓《けい》がまだ人のいない朝早くに遺跡の近くまで行くと、だだっ広い大地の向こうからラウルが駆けてくる姿が見えた。ラウルはすぐに啓を見つけ、恐ろしいスピードでこちらに向かってくる。

「啓！　啓！」

目の前に飛び込んできたラウルの声は、昨日までとまったく違っていて、啓はびっくりして目を見開いた。ラウルは啓を抱きしめると、いきなりぐるぐると啓を抱えたまま回転した。汗の匂いがする。ラウルはまるで好きなサッカーチームが優勝した時のように興奮した様子で奇声を上げている。

啓が啞然と口を開けたまま振り回されていると、ラウルは啓を抱えて走りだし、遺跡の石の上を飛んだり跳ねたりする。とうとう頭がおかしくなったのかと啓は呆然とした。すると観光客らしき人の姿が遠目に見えて、ラウルは慌てたように石から飛び降りる。ラウルは啓を横抱きにした状態でその場を駆け出し、小さな花が揺れている大地の上をすごい速度で通り抜けた。

「啓！　すごいんだ、君の血を飲んでから、なにもかもが変わった！」

ラウルは高らかにそう叫んだ。その顔が晴れやかで、まさか、と啓は身の内から湧き起こる歓喜に震えた。喜びすぎるとあとでしっぺ返しがくる、そう思ってよく確かめようとすると、そんな啓を安心させるようにラウルが「君は最高だ！」と大声で叫んだ。

「啓、すごいよ！　なにもかも、変わったんだ！　いや元に戻った、風が気持ちいい、太陽が眩しい、ご飯も美味しいし、ともかくサイコーだよ！　君は本当に最高だ、俺がどれほど君に参ってるか分かる⁉」

啓を抱えて走りながら、ラウルは抑えきれない興奮を伝えるように叫び続けた。ラウルの首にしがみつきながら、啓はあまりの急展開に頭がついていかず、

「え？　え？」と馬鹿みたいに聞き返していた。

「俺は《不死者》《アンデッド》になるところだった！　それを君が救ってくれたんだ、もう嬉しすぎて昨日からずっと走り続けてた…っ、痛みが引いたんだ、まだ少しはあるけど、これまでと比べたら全然いいよ！」

景色が高速で流れていく。啓はラウルの温かな腕に抱かれながら、右手の刻印がなんの反応も示してないことに気づいた。

ラウルは啓の血を飲むことによって、《不死者》の毒を中和させたのだろうか。啓は驚きのあまりラウルの顔を凝視した。レヴィンはそれと分かって、啓の血を飲ませたのだろうか？　ずっと苦しんでいたラウルが、以前のように明るく陽気な笑顔を見せている。それだけで啓は嬉しくて、胸が熱くなった。

帰ってきた。

啓の《守護者》《ガーディアン》がこの手に戻ってきたのだ。

長く苦しかった心の重荷が、す一っと軽くなる。ラウルと別れたあの日から、毎日つらかった。己を責めた。助けられない自分の力のなさに嫌気が差し、ラウルを助ける手段を模索し続けた。

「ラウル…ッ、馬鹿野郎！　治ったんならさっさと戻ってこいよ！　こっちがどれだけ心配したと思ってるんだよ！」

安心したとたん、猛烈な怒りが沸いてきて、啓はラウルの耳元で大声で怒鳴った。ラウルが啓の顔から耳を遠ざけ、大きく跳躍する。

「うわ…っ」

ラウルは高い崖から海に向かって飛び込んだ。啓はたまったものではない。必死でラウルの首にしがみつ

いていると、次の瞬間には海深くに潜っていた。

「うぷ…っ」

ラウルに抱きしめられたまま、海面に顔を出す。啓は服を着たまま飛び込んでいるので、衣服が濡れて身体に張りついて泳ぎづらかった。ラウルも同じ状態のはずなのだが、意に介した様子もなく啓の身体を引きながら岩場へと泳いでいく。

「はぁ…、もうなんだよ…」

切り立った崖の傍の岩場が連なる場所に、啓はラウルに押し上げられて上がった。髪や服からぽたぽたと海水が垂れ落ち、全身ぐっしょりだ。岩場に足を踏ん張り、シャツの裾《すそ》を絞る。啓に続いて岩場に上がってきたラウルは、長くウエーブがかった赤毛をかき上げ、ぎゅっと啓を抱きしめた。

「ラウル…」

ラウルの身体は温かく、しっかりと抱きしめられると不思議な感覚を覚えた。心が穏やかになり、力が湧いてくる。ラウルを感じて、胸が熱くなる。ラウルは啓の精神安定剤だ。こうして抱きしめられるとなんでもできる気がしてくる。懐《なつ》かしい感覚に涙が出そうだった。

「啓、愛してる」

感極まったようにラウルが告白し、熱烈なキスをしてきた。食べられるのではないかと思うくらい、顔中にキスをされる。気がすむまでキスをすると、ラウルは目を輝かせ、啓の好きな陽気な笑顔で愛しげに啓を見つめる。

「啓、愛してる。死ぬほど愛してる。君のおかげで生き返った。俺はずっと君に謝りたかった、君を避けていた。君を傷つけるのが分かっていても、君の近くにいると皮膚の下に流れる血潮を感じて理性が吹っ飛んで怪我《けが》をさせそうだったんだ。それに俺は約束を破ったよね、いつも傍にいるって言ったのに、君を一人にしてごめん。ああもう君に謝りたいことが多すぎる！」

ラウルが抑えきれない感情を表すように、大声を上げる。

「もう今度こそ本当に離れないから。神様が離れろって言っても離れないよ！　俺の指輪とメダイ、ずっと持っててくれたんだろ？　気づいた時は泣きたくなった。啓、愛してる…、本当に心から愛しているよ」

胸を揺さぶる愛の言葉を告げられ、啓は目を潤ませてラウルを見つめ返した。入り江で別れた日の光景が頭を過《よ》ぎって、無性に泣きたくなった。ラウルはやはり明るい男でなければ駄目だ。太陽みたいにその明るさで周囲を照らしてくれなければならない。

「もう…馬鹿!!　俺のほうがもっと愛してるよ！」

口からそんな言葉が飛び出すと、さっとラウルの目に光が宿った。

「君から初めて愛の言葉をもらった」

ラウルが目を細めて囁《ささや》き、啓を腕の中に閉じ込めた。そうだったっけ？　と聞き返そうとするとラウルの唇が啓の唇をふさぎ、興奮した息遣いが耳をくすぐる。舌が生き物みたいに啓の口内に潜り込み、啓の舌に絡みつく。啓が両腕をラウルの首に回すと、角度を変えて啓の口内を探りながら、腰を押しつけてきた。

「ん…っ、う、ちょ…っ!!」

ラウルの下腹部が硬くなっているのに気づいて、啓は顔を赤くして目を開けた。ラウルはわざと勃起《ぼっき》した性器を啓に押しつけている。キスの最中にラウルの手が啓のシャツのボタンを外していき、啓は焦って胸を押し返した。

「なに考えてんだよ…っ、こんなとこで…っ」

ここは外だし、岩場だし、なによりも誰に見られるか分からない。啓は動揺して離れようとしたが、ラウルはもう理性が利《き》かなくなったみたいで啓を抱えて切り立った崖の陰に移動した。

「こんな場所、飛び降りる理由がない限り覗かないよ。啓、今すぐ欲しいんだ」

あちこちにキスを降らして、ラウルが啓のベルトを外してくる。

「信じらんねー…、もう…本当に馬鹿!!」

啓の濡れたズボンを下ろしてくるラウルに向かって、真っ赤になって怒鳴り続けた。けれどラウルの高まった興奮を鎮《しず》めることなど不可能だ。ラウルは強引に啓の下着を脱がせて、啓の湿った尻を大きな手で揉む。

「昨日もしたじゃん…。ほ、本当にこんなとこでやんの？」

こんな早朝から岩場でことに至るラウルに戸惑い、啓は息を潜めた。啓の尻を揉んでいたラウルの指がはざまを滑り、止める間もなく内部に潜り込んでくる。昨日二人からされた行為のせいもあって、ラウルの指はつぷりと中に入ってきた。

「んんー…っ」

啓の唇をふさぎながら、ラウルが内部を刺激してくる。ラウルの指は呆気ないほど簡単に啓に火をつけた。感じる場所を指で擦られ、背筋を熱く痺れた感覚が這い上る。

「…昨日のは違うだろ、あれは…」

啓の唇から顔を離し、ラウルが耳朶《みみたぶ》にそっとキスをする。そこはかさぶたができていて、小さな傷跡が残っている。

「喧嘩《けんか》？」

ラウルの胸に頬を押しつけ、啓は乱れそうになる息を懸命に堪《こら》えようとした。ラウルの指は断続的に奥を揺らして、啓の下半身を変化させる。

「儀式だよ」

ラウルは儀式と言うが、啓にはやはり喧嘩としか思えなかった。ラウルは屈《かが》み込《こ》んで啓のシャツを広げ、うやうやしくメダイにキスすると、顔を下ろして乳首を吸ってくる。ぞくりと甘い感覚が生まれて、啓は息を詰めて身を反らした。

「ん…っ、う…っ」

こんな時間に、しかも外であられもない声を上げるのに抵抗があって、啓はラウルが舌で乳首を刺激してくる間、必死になって耐えていた。ラウルはそんな啓の思いなどお構いなしで、いやらしい音を立てて乳首を吸っている。

「…っ、ふ…っ、は…っ」

舌先で尖《とが》った乳首を舐め回されながら、入れた指を増やして動かされる。二本の指で内部をぐるりと掻き混ぜられ、びくびくと膝が揺れる。

「う…っ、や…っ」

我慢していた声も、ラウルがわざと乳首を噛んでくると、唇から漏れてしまった。啓の様子を窺《うかが》って、ラウルがもう片方の乳首も唾液で濡らして、甘く噛んでくる。

「ひ…っ、ぁ…っ」

乳首を舌で激しく弾かれ、啓はラウルにしがみつきながら太ももを震わせた。ズボンが足首の辺りまで落ちて、余計に身動きがとりづらくなる。海水を浴びた身体が発熱してきた。ラウルが二本の指を根元まで入れてくると、前のめりになってしまう。

「啓…、俺の…出して」

ラウルは乳首から顔を離し、両方の指を啓の尻の中に入れつつ促した。ラウルの腕の中で身じろぎ、啓は息を荒らげながらラウルのズボンのベルトをつたない動きで外した。ラウルの指は啓の尻の穴を広げるように動いている。外気があらぬ場所に感じられ、ぞくぞくした。

「はぁ…、痛いくらいだ」

ジーンズを下ろし、下着をずらすと、ラウルの大きなモノが勢いよく飛び出してくる。ラウルはひどく気持ちよさそうな息を吐き出し、反り返った性器を啓の勃起した性器に触れ合わせる。

「入れてって言ってみて」

啓の奥に指を出し入れしながら、ラウルが甘い声で囁く。啓は目を潤ませて胸を上下させた。ラウルの指が律動するたび、啓の性器の先端から蜜があふれる。恥ずかしかったが啓もすでにひどく感じていて、ラウルの熱が欲しかった。

「……もう、早く入れろよ」

ラウルの耳元で小さな声で告げると、嬉しそうに笑って指が引き抜かれる。啓は岩場に手をつく格好になり、ラウルが背中から覆いかぶさってきた。

「んんぅ…っ」

先端が押しつけられたと思う間もなく、内部に硬くて熱いモノがめり込んできた。昨日と違い、ラウルは啓を気遣いながら腰を進めてくる。ずぶずぶと中に入ってくる熱は、啓の官能を引き出す。前に身体を逃がしてしまうと、ラウルの手が腰を抱え、揺さぶるように大きなモノを入れられる。

「ひ…っ、ぁ…っ、あ…っ、ラウル…」

ラウルは中ほどまで性器を押し込むと、啓の腰を撫でて馴染《なじ》むのも待たずに軽く揺さぶってきた。啓が引っくり返った声を上げるると、ラウルは興奮した息を吐き、徐々に深く内部を穿《うが》つ。

「声が出ちゃう…っ、や、も…っ」

腕で口をふさぎ、啓が抗議すると、ラウルが笑って律動を続ける。

「俺以外聞いていない人なんていないのに、なんで声を我慢してんの？　啓、可愛い声聞かせて。君の中、すごく気持ちいい」

ラウルはそう言うと、ぐっと奥まで突いてくる。

「ひあ…っ、あ…っ、や、だも…っ」

つい甲高い声をこぼし、啓は身をよじった。誰も聞いていないと言うが、絶対大丈夫とは言い切れないではないか。船が近づいてきたらとか、誰かが泳いできたらとか、考えるだけで赤面ものだ。そういえば、と啓は思い出した。

「ラ、ラウル…、ガード機能使ってくれてる？」

ラウルが《守護者》の持つガード機能を使ってくれれば、こんな場所でも誰にも見られることがなく行為ができる。そう思って啓が後ろを振り返ると、ラウルが急に焦った顔つきで動きを止めた。

「…使ってるよ、もちろん！」

慌てた様子で言っているが、明らかに焦りを隠しきれていない。

「絶対忘れてただろ…っ、もう…っ、ぁ…っ」

啓が抗議しようとすると、ラウルがそれを制するみたいに腰を突いてくる。文句を言いたいのに、甘い声しか出てこなくて啓は悔しくてたまらなかった。

一番困るのはこんな場所で犯されているのに、感じている自分だ。勃起した性器は先走りの汁を垂らし、ラウルが突くたびに甘い声が漏れる。

「や…っ、ぁ…っ、あ、ン…ッ!!」

ラウルの手が前に回り、濡れた性器を軽く扱《しご》く。それだけで一気に感度が高まり、びくびくっと身を反らして達してしまった。岩に精液を吐き出し、啓はぐったりと岩場にへたり込んだ。ずるりとラウルの大きなモノが尻から抜けて、それがまた気持ちよくて呼吸が荒くなる。

「はぁ…っ、はぁ…っ、はぁ…っ」

乱れた姿でしゃがみ込んでいると、波が打ちつけてきた。ラウルは力の入らない様子の啓を抱きかかえ、反転させる。

「はぁ…っ。イっちゃった…？　イく時、啓は締めつけてくるから焦るよ…」

熱っぽい息を吐き、向かい合ったラウルが啓の足からズボンと下着を引き抜き、片方の足を持ち上げる。焦ってラウルの首にしがみつくと、先ほどまで熱が埋め込まれていた場所にラウルが再び性器を挿入してきた。

「こ、この体勢無理…っ」

身悶《みもだ》える啓の腰を撫で、ラウルが強引に繋《つな》がってくる。それだけではなくラウルは、啓を持ち上げて、小さな子どもを抱き上げるみたいにだっこしてきた。

「うそぉ…、し、信じられない…っ」

内部にラウルを引き込んだ状態で、ラウルに抱きつく形になり、啓はどこに力を入れていいか分からず焦りまくった。ラウルは軽々と啓の身体を持ち上げ、腰を揺らす。ラウルの首にしがみつき、啓は動揺した。

「啓一人くらい軽いよ。あー…、中すごいビクビクしてる…。落っことさないから安心して」

確かにラウルは力持ちだが、体勢が体勢だけに啓は身を仰《の》け反《ぞ》らせて悶えた。視界に青空が広がる。ラウルは軽く腰を揺さぶっているだけなのに、全身を預けている状態ではささいな刺激も強く感じた。ラウルの性器が抜けそうになると、ずんと奥まで突かれ、もう声が我慢できない。ラウルの腰に足を絡め、啓は生理的な涙をこぼした。

「やー…っ、あ…っ、あ…っ、ひぃ…ぁ…っ」

ラウルが突き上げるたびに、絶え間ない嬌声《きょうせい》がこぼれる。ラウルは啓の腰と背中を支え、気持ちよさそうな息を吐きながらブルブルと啓を揺らした。内部にいるラウルの性器を締めつけているのが分かる。先ほど達したはずなのに、性器がびしょ濡れだ。

「あー…っ、あー…っ、や、だ…ぁ…っ、ひ…っ」

不安定な体勢がよりいっそう感度を高め、啓は悲鳴じみた嬌声を上げ続けた。ラウルも興奮した顔で腰を揺らしている。激しく突き上げると抜けてしまうのを恐れてか、ラウルは小刻みに奥を穿ってきた。

「イきそうだ…っ、啓、今の君すごくやらしい顔してる…っ」

啓の奥を掻き混ぜつつ、ラウルが啓の乳首を引っ張ってくる。乳首は触られるだけで電流みたいな快楽を啓に与え、ひっきりなしに乱れた声が漏れた。

「ラウル…ッ、またイっちゃ…ぁ、ああ…っ」

ずんずんと奥を突かれ続け、啓はかすれた声を上げた。するとラウルも絶頂が近いのか、動きが獣じみてきた。

「ひぃ…っ、あ、ああ…っ!!」

ここがどこだかも忘れて、啓は甲高い声を上げて大きく身体を震わせて絶頂に達した。ぎゅーっと中にいるラウルの性器を締めつけ、どっと前から精液を吐き出す。ほぼ同時にラウルも中に熱い飛沫《ひまつ》を叩きつけ、啓の身体を痛いくらいに抱きしめてきた。

「あ…っ、あ…、うぅ…」

感じすぎて身体がおかしくなるかと思った。啓はくたっとラウルに身を預け、ひたすら息継ぎを繰り返した。

何時間でも愛し合いたいと主張するラウルを説き伏せ、急いで皆の待つ家に戻った。ラウルのことを心配している皆を早く安心させたかった。それにしてもレヴィンとは洞穴《どうけつ》で何度かしたが、あんなに開放的な場所で抱かれたのは初めてだ。恥ずかしいからあんな場所ではやりたくない。

ラウルの背中におんぶされて、ダッシュで家に戻ると、レヴィンが家の前で待っていた。レヴィンを見ると、ラウルの身体が強張り、エンジンの切れた車みたいに急に止まる。

「レヴィン…」

啓を下ろし、ラウルがレヴィンの名を呼ぶ。ラウルはつかつかとレヴィンに歩み寄った。

「……」

レヴィンはいつもの冴え冴えとした瞳でラウルを見返した。ラウルは真っ向からレヴィンを見据《みす》え、手を伸ばす。

ラウルの手がレヴィンの肩に回され、初めてレヴィンを抱きしめた。がしっと力強く肩を掴まれ、レヴィンがわずかに目を見開く。

「ありがとう。あんたのおかげで、人間に戻れた。悔しいけど、あんたは俺よりずっと大人だ」

真摯《しんし》な声でラウルはレヴィンに礼を告げた。レヴィンは黙ってラウルの好きにさせている。あれだけいがみあっていた二人が、肩を抱くまでの仲に至ったと思うと、啓はひどく感動して二人を見つめた。

「俺はあんたの苦しみの一端を知った気がする。今までいろいろ言ったのを謝罪したい。本当に《不死者》の暮らしは最低だ。あんたがすかした顔してる理由も分かった気がするよ」

ラウルがにやりと笑って身体を離した。

「お前は一言余計だ」

レヴィンが苦笑してラウルの頭を小突く。笑い返しながらラウルはレヴィンから腕を離し、軽くウインクする。

「レヴィン、昨日は啓を共有したけど、次はないぜ。俺は啓を譲る気はないからな」

　胸を張ってラウルが堂々と宣言する。話が不穏な方向に流れるのを察して、啓は二人の間に割って入ろうとした。

「あのさ、昨日のは…」

「それはこちらの台詞《せりふ》だ」

　啓の言葉を無視してレヴィンはラウルを苦々しく見やる。するとラウルは勝ち誇った様子で啓の肩に手を回し、高らかに告げた。

「啓は俺に愛してるって言ってくれたんだぜ。あんたに勝ち目はないよ」

「なに…？」

　ラウルの発言が聞き捨てならなかったのか、レヴィンの顔つきが変わる。静かに深くショックを受けているレヴィンに気づき、大急ぎで近づいた。

「レヴィンも愛してるよ！」

　ラウルにしか言ってなかったとは思わず、慌てて言う。

「ついでのように言うな…」

　レヴィンはムッとした表情で睨《にら》んでくる。ついでと思われては困るので、懸命についでじゃないと訴える。

「俺、二人のこと好きって言ってなかったっけ？　二人とも愛してるよ！　だから喧嘩とか昨日みたいに俺を無視してやるのはやめてくれよな」

「啓、好きと愛してるじゃ五万マイルくらい離れてるんだよ」

　呆れた口調でラウルに諭されたが、そんなものなのかと啓は首をひねった。啓にはあまり違いが分からない。けれどレヴィンにとっては本当に五万マイルくらい距離があったみたいだ。渋い顔をして立ち去ろうとするので、すかさずレヴィンの背中にしがみついた。

「レヴィン、ごめん。マジついでじゃないって。俺、ラウルとレヴィンがハグするの見て感動した。機嫌直せって。ホントに愛してるってば！」

庭先で騒いでいると、アシュレイたちが聞きつけて外に出てきた。アシュレイもエミリーも雄心《ゆうしん》も兵藤《ひょうどう》も、ラウルの表情を見てすぐに事態が好転したのを知ったようだ。

ラウルはアシュレイの前に立ち、人好きのする笑顔で親指を立てた。

「心配かけたな、アシュレイ。俺はもう平気だ。いつでも動ける」

ラウルらしい笑顔を見て、アシュレイの張りつめた顔からすっと険がとれた。アシュレイは泣き笑いのような顔でラウルを見つめ、拳《こぶし》で軽くラウルの胸を突いた。

「まったく…心配かけすぎです。よかった、本当によかった」

「本当よ！　こっちはラウルなしで闘わなきゃならないのかと思ってお通夜状態だったんだからね！　あんまり心配かけないでよ」

エミリーもホッとしたように涙ぐみ、ラウルと抱擁《ほうよう》する。雄心も深く頷き、兵藤は両手を合わせて「神に感謝ですな」と安堵した顔になった。

ラウルの回復を喜ぶアシュレイだが、何故か啓に目を向けたとたん、ぎこちないそぶりで目を逸らした。その表情を見て、完全にラウルとの行為を見られたなと気づいた。だからあんな場所でやるのはよくないと言ったのに。アシュレイは一言言いたいけれど、今は水を差すべきではないと思ったのか、じろっと啓を見やって中に入っていった。

部屋に入るとラウルは猛烈な勢いで食事をし、これからについて討論し始めた。もう一刻の猶予もないということで、明日薔薇騎士団《ばらきしだん》の屋敷に襲撃に行く手はずになった。啓の血を飲んで五感を取り戻したラウルだったが、まだ完全に治癒したわけではないらしく、夕方まで兵藤の治療を受けた。ラウルが負った傷は深く、すぐに全快するものではない。これから何年もかけて少しずつ毒を抜いていくそうだ。

夜空に一番星が光った頃、ラウルが「忘れ物をしたから、出かけてくる」と言いだした。

　ラウルは捕らえられていた場所に置いてきたものがあるそうだ。啓のほうもスティーブンの屋敷に行ってサンダーを連れてきたかった。襲撃に行くならサンダーも一緒でなければならない。サンダーは相棒だ。闘いの場では共にいたい。

「啓、少々お話が」

　レヴィンとラウルと啓の三人で出かけようとしたところで、アシュレイが厳しい顔つきで啓を呼び止めた。アシュレイは啓を庭の隅に誘い、振り向きざまに啓の右手を摑んできた。

「刻印は大丈夫なのですね？　啓…、海でのこと、説明していただけますか⁉」

　啓の右手に刻印があるのを確認して、アシュレイが今にも怒鳴りだしそうな顔で詰問してきた。啓はアシュレイの迫力にたじたじになり、頭を掻いた。

「え、えーっと海でのことって？」

　とりあえずしらばっくれてみたが、無理だった。それもこれもラウルがガード機能を忘れていたせいだ。

　アシュレイは神経質に眼鏡《めがね》の縁に触れ、啓に迫ってくる。

「ごまかしても無駄です。う、海であのような…っ、私は目を疑いました、あなたとラウルがそのような関係だったとは…っ。確かにラウルはあなたに言い寄っていたようですが、仮にもあなたは《薔薇騎士《ローズナイト》》であり、子どもを成さなければならない立場なのに、よりによってラウルとはどういう、いやラウルは確かにいい男ですよ、それは認めます。けれどそういう問題じゃないのです！　あ、あんな場所で一体あなた方はなにをして…っ」

　すごい勢いでまくしたててくるアシュレイにたじろぎ、啓は頰を赤らめた。もう二度とあんな場所でやるのはやめよう。

「やー、ごめん。そういうわけなんで…」

　こうなったら開き直るしかないと思い、啓は笑ってごまかそうとした。するとアシュレイは余計に目を吊り上げ、啓の肩を摑む。

「そういうわけじゃありません！　啓、アダムの孫であることは、この際もうしょうがないという空気になってきたというのに、ラウルとあんな関係だなんて二重苦ですよ。大体このことをレヴィンは知っているのですか？　レヴィンはあなたに固執していた。ラウルとのことを知ったら殺し合いになるんじゃ…っ。はっ、そういえば以前そんなことがあったような？」

レヴィンとも関係しているなんて言ったら、どうなってしまうのだろう。啓は目を白黒させているアシュレイを見て、言わないほうがいいと判断して黙り込んだ。けれど黙り込んだせいで、逆にアシュレイの疑惑を招いたらしい。青ざめた顔で啓の顔を凝視してくる。

「ま、まさか……レヴィンとも関係しているなどと言いませんよね？」

恋愛事に疎《うと》いアシュレイにしては、よく気づいたものだ。啓は頰をよりいっそう紅潮させ、困った顔で笑った。それで理解してしまったのか、アシュレイはふいによろめいた。

「うーん、三重苦…」

あまりにショックが激しかったのか、アシュレイはその場に失神してしまった。びっくりして啓が助け起こしたが、呻《うめ》き声《ごえ》を上げて意識を失っている。連日監視続きで、疲れも溜まっていたのかもしれない。

「しょうがねぇなぁ…」

仕方なく啓はアシュレイを背負って家の中に運んだ。リビングのソファにアシュレイを寝かせ、エミリーと雄心に「疲れて倒れちゃったみたい」と告げて看病を頼んだ。

アシュレイとは帰ってからまた話し合おう。啓はソファに横たわるアシュレイにそっと手を合わせ、門へ急いだ。遅い、と二人に言われ、悪《わり》ぃと謝って早速出発する。

「帰ったらアシュレイから小言言われると思うから、覚悟しとけよな」

道中二人にはそう告げたが、両者ともまったく聞いている様子はない。アシュレイもおそらく一番言いやすい啓から話したのだろう。秘密にしておいても、隠し事が苦手な啓はこうやってあちこちからぼろを出す。前途多難で、戻るのが少し面倒になった。

ラウルが捕らえられていた場所に忘れ物があるというので、再びタルシーン神殿の石をどかし、地下からハイポジウムに入った。入り口は特に変わった様子はなく、啓たちが使った後は誰も通っていないようだ。《不死者》の匂いが分かるレヴィンには見張り役を頼んだ。内部に別の《不死者》がいればすぐに気づくよう、刻印の反応を分かりやすくするためだ。

前回壊した場所を探すと、意外なことに硬い岩が置かれふさがれていた。人間に《不死者》の隠れ場所を知られたくないアダムたちが、穴をふさいだのだろうか。ハイポジウムは観光地だが入場者数が制限されているし、内部の保存にはかなり神経を使っている。それだけ重要視されている場所ゆえに、いずれ深層部に別の部屋があることも明らかになるだろう。

「こっちに道があるんだ」

ラウルは啓たちが使った道ではなく、別の道を辿った。そちらは途中の道に人間には通り抜け不可能な場所がいくつもあり、おそらく《不死者》たちが使っているのだろうと分かった。人間離れした怪力や跳躍力を持つ《守護者》でなければ進めない。

ラウルが捕らえられていた場所につくと、啓は心配になってラウルを見上げた。

ラウルはまだ鎖やロープが残っている痕跡を眺め、かすかに身体を硬くした。ここでの苦しかった日々を思い出したのだろう。啓が前に回ってそっと抱きしめると、溜めた息を吐き出すようにして啓を抱きしめ返した。

「もう大丈夫。二度と捕まるようなへまはしない」

ラウルは力強い口調で言い切り、かつて自分が縛《いまし》められていた場所へ足を進めた。そこにはまだ引きちぎられた鎖が放置されている。ラウルはしゃがみ込むと、足元の土を手で掘り起こし始めた。なにかを埋めたらしい。啓が近づいて屈み込むと、しばらくしてラウルが「あった」と目を輝かせた。

「奪《と》られないように埋めておいたんだ。これは君から贈られた大事なものだったからね。縛られていたから大変だったよ、足で土を掘って」

　ラウルが得意げに銀の指輪を取り出した。

　瞬間、泣きそうになってしまった。それは以前啓がラウルに贈った指輪だ。レヴィンとおそろいの父の形見。

「ろくに食事も与えられなくなって、指輪が抜けてしまいそうだったから、埋めておいたんだ。よかったよ、早めに隠しておいて」

　ラウルは土で汚れた指輪をシャツの裾で磨き、自分の手をズボンで拭くと、左手の中指にはめようとする。それを制して啓が指輪を手に取り、ラウルの中指にはめてやった。

「ラウル、ありがとう」

　ラウルの左の甲にキスを送ると、ラウルが目を細めて笑い、啓のこめかみにキスを送り返してきた。ラウルを愛しく感じて啓はぎゅっと抱きつき、長い間厚い胸板に顔を埋めた。

　ラウルが過ごした三年の月日は、過酷で絶望的なものだった。救出できたといっても、ラウルの心身に大きな傷跡を残した。それを思うと身を切られるようにつらい。やはり自分が代わってやりたかった。ラウルは啓を助けたいと思うだろうが、啓だってラウルを助けたいと思っている。それはもちろんレヴィンに対しても同じで、二人の《守護者》をこの手で守りたいと願っている。

「行こう、サンダーもラウルを待ってる」

　しっかりした声で啓は告げ、ラウルとハイポジウムの深部から抜け出した。タルシーン神殿で待っていたレヴィンと落ち合い、今度はスティーブンの屋敷に向かう。

　スティーブンの屋敷に着いたのは、深夜近くだった。屋敷の正面玄関から入るのは、初めてだ。

　石でできた高い柱と錬鉄の門を潜ると、洒落《しゃれ》た石畳が続く。石畳の道なりにそって両脇には花々が、彩《いろど》りよく植えられていた。ちょうど夏の薔薇が咲き誇り、庭師の腕を見せつけている。薔薇が好きなレヴィンは懐かしそうに庭を眺めている。もしかしたら若き日に訪れたことがあるのかもしれない。呼び鈴を押す前に、扉が開き、啓は意外な人物に目を瞠《みは》った。

「ボイド!!」

　扉を開けてくれたのは、ダン・ボイドだった。かつて薔薇騎士団の屋敷の執事を務めていた白髪《しらが》の初老の男性だ。ルイス側からスパイだったと告発され、姿を消したので身を案じていたのだ。無事だったのか。

「お久しぶりでございます。ケイ様、ラウル様、レヴィン様。……スティーブン様のご厚意でイギリスに匿《かくま》われておりました。先日、時は満ちたとの知らせを受け、戻って参りました」

　深々と頭を下げ、ボイドが淡々と言う。

「ボイド、殺されたんじゃないかって心配してたぜ？」

　ラウルが嬉しそうに笑ってボイドの肩を叩く。

「無事だったのだな…よかった」

　レヴィンも安堵したようにボイドに笑いかけた。啓の声を聞きつけたのか、室内の奥からサンダーが猛突進してきた。「サンダー!!」と叫んで啓が両手を広げると、胸にジャンプしてくる。いいものを食べさせてもらったのか、少し重くなっている。サンダーは啓の腕の中で喜びを爆発させて、べろべろと顔を舐《な》めてくる。ついでラウルに気づくと、サンダーは歓喜して身をよじった。玄関先で騒いでいたせいか、奥から車椅子の音がしてスティーブンとアデラが現れた。

「うるさい奴らだな、これだから田舎者は！　とっとと入らんか、お前らが来るのは分かっておったから茶の支度もできておる」

　スティーブンは相変わらず嫌みったらしい口ぶりで

出迎える。啓は慣れたもので、ラウルにスティーブンとアデラを紹介して中に入った。アデラが《不死者》と知るとラウルは少し驚いたようだが、啓を助けてくれたと知ると礼を口にする。

「たいしたものじゃ、《薔薇騎士》よ。お前は一手も間違えることなく駒を進めておる。さて、二人の《守護者》が生還した今、お前は偽物の《薔薇騎士》を追放せねばなるまいな」

アデラが満足そうに啓を見やって告げる。

「ああ、今はもうなんでもできそうな気分だよ」

啓も笑顔で二人の《守護者》と腕を組み答えた。

応接間に通され、啓たちは贅沢《ぜいたく》な作りのソファに座り、お茶のもてなしを受けた。応接間は高い天井に代々の当主の絵が飾られている。よく見ると黒髪をアップにまとめた愛嬌《あいきょう》のある顔をした女性がいて、それがアデラの若い頃だと知った時は驚いた。隣に並んでいるのは夫だろうか。

ボイドはここでは客人ではないのか、ワゴンを引いて啓たちのために紅茶を振る舞ってくれた。

「今までボイドはどうしてたんだ？」

啓が尋ねると、ボイドは申し訳なさそうな顔で、立ったままこれまでの状況を語り始めた。

「使用人の一人であるバルバロッサが、ケイ様の情報を誰かに電話で報告しているのを偶然聞いてしまったのです。問い詰めると、銃で威嚇《いかく》され、バルバロッサの仲間のオリバーに縄で縛られました。そのあとトラックでどこかに運ばれ、あやうく殺されかけたのを、幸いマリア様に助けられ、逃げ延びました」

「母さんに？」

母のいい話は聞いていていて嬉しいものだ。啓が笑顔になると、ボイドも小さく笑みを浮かべ、頭を下げた。

「昔からお綺麗な方でしたが、今なお美しい。マリア様からしばらく姿を消すよう言われました。スティーブン様の指示ということでしたので、従いました。私はマリア様の裏切りなど信じておりませんでした。マリア様はエリック様を深く愛しておられた。スティーブン様と一緒に動いているのを知り、内心安堵いたしました」

「だが裏切りは裏切りだ」

ボイドがマリアを褒《ほ》めるのが気に食わないのか、レヴィンは厳しい声音で否定する。

「マリアは世話になったボイドは助けたかったようだ。まぁそんなわけでわしのイギリスの別荘で働かせておったというわけだ。このままずっとわしのところで働いても一向に構わんぞ。ボイドは優秀な男だ」

スティーブンがにやりと笑う。スティーブンたちはこうやって陰から啓たちのフォローをしてくれていたようだ。ボイドは自分に着せられた汚名を返上したかったが、ルイスの手先が行方を追ってくるため身動きがとれなくなっていたという。

「明日の審問会に、乗り込む気だね」

アデラは目の前に置かれた紅茶には手をつけず、まっすぐ啓を見つめて言った。

「なんでもお見通しだな。これから俺たちがどうなるかも教えてくれよ」

啓がいつものように言うと、《先視の声《ヴォイス》》の能力を知ったラウルが、目を輝かせて身を乗り出してきた。

「おばあちゃん《ノンナ》、啓が俺とレヴィンのどっちを選ぶか教えてくれよ。俺だよな？」

啓もいいかげん知りたがりだが、ラウルもいい勝負だ。啓は無言でラウルの足をぎゅっと踏みつけた。スティーブンに変に思われていないか焦る。隣に座っていたレヴィンは、頭痛を覚えたかのようにこめかみに手を当てている。

「えーっとアデラもじいちゃんも、ラウルの言うことは気にしないでくれよな。それよりこうやって顔合わせしてるってことは、俺になにか用があるんだろ？」

真顔で問いかけると、アデラはしわが深く刻まれた顔で笑った。

「そうさね。さて、ケイ。お前だけ、おいで」

アデラは椅子から立ち上がり、啓を手招きして部屋から出ようとする。レヴィンとラウルもついてきたがったが、アデラは啓だけだという。

「一人で平気だよ。サンダー、ウェイト」

尻尾《しっぽ》を振って追いかけてきたサンダーをその場に待たせ、啓はアデラと応接間から出た。廊下の先の階段を下り、啓は初めて屋敷から地下の地下墳墓《カタコンベ》に続く道を歩いた。重々しい扉がいくつかあり、小さかった頃の父がどうやって地下のカタコンベに辿りついたのか謎だ。案内でもなければ、辿りつくのは到底無理だ。

「ケイ。お前は何人もの《不死者》と会ってきた。今でもすべての《不死者》を滅ぼすべきだと思うかえ？」

杖をついて歩きながらアデラが問う。アデラの後ろを歩いていた啓は、かすかに右手の刻印が別の反応を見せたのに気づいた。この先――まだずっと先だが、《不死者》がいる。

「俺はすべての《不死者》を憎いとは思ってない。でもやはり《不死者》はこの世に存在してはいけないものだと思う…。おかしいだろ？　レヴィンやアデラは殺したくないのに…。それでもそう思うんだ」

「なるほど…」

石造りの廊下を歩き、アデラが外に繋がる道の途中で止まった。ランプに火を灯し、辺りを明るくする。

静かな靴音が聞こえてきて、啓は少しだけ身構えた。

「ケイ、この場は私に任せておくれでないか。今は《不死者》とは休戦。そう思って接しておくれ」

啓はいぶかしく感じながらも頷いた。

ややあって、暗闇から一人の男が現れた。その姿を見て啓は、ハッとする。

仕立ての良いスーツを着た、顎髭のある綺麗な青年が近づいてくる。身長は高く、口元に笑みを浮かべたまま優雅な足取りで歩いてくる姿は、周囲の人を圧倒するオーラを放っていた。右手の刻印が疼《うず》かなければ、一見《不死者》らしき様子はない。眼窩《がんか》も窪《くぼ》んでなければ、特有のすさんだ雰囲気もない。――しかし彼は、紛うことなき《不死者》だ。

「ギルバート・ベアズリー…ッ」

啓は男の名を呼び、緊張で身を硬くした。ギルバートは啓から少し離れた場所で立ち止まり、手を腰に当ておどけたしぐさで礼をした。

「僕の名を知っているとは嬉しいね。お初にお目にかかる、ギルバートだ。ケイ・クロフォード。今日は闘いに来たわけではない、そう身構えないでくれ」

ギルバートは面立ちがルイスと少し似ていた。ルイスよりもずっと気高い雰囲気だが、やはりベアズリー家の血筋なのか貴族らしい佇《たたず》まいだった。

「……アデラばあちゃん、どういうことだよ？」

啓はギルバートから一瞬たりとも目を離さず、横にいるアデラに問うた。アデラが裏切って啓を罠《おとし》に陥れたとは思いたくなかったが、なにか事情があるなら教えてほしい。

「僕はアダム様に頼まれて、これを渡しに来ただけだ。それにいずれ闘う君と会っておきたかった。アダム様の孫とはいえ、容赦はしない。本当は君がアダム様の孫でなければ、その血をもらいたいところだけどね」

ギルバートは一通の大きな封筒を持っていた。啓は戸惑ってアデラを見やった。

「受け取るがいい。あの方はお前がルイスを追放するのを待っている。悪いものではないよ」

アデラに促され、啓は警戒しつつもギルバートから封筒を受け取った。手渡す瞬間襲われるのではと思ったが、ギルバートは宣言通り変な真似は一切しなかった。

「これは…っ‼」

封筒の中身を見た啓は、息を呑んでギルバートを仰いだ。ギルバートはうっすら微笑み、背中を向ける。

「待てよ！　母さんはどうしてる⁉　変なことしてないだろうな⁉」

立ち去ろうとするギルバートの背中に、啓は急いで声をかけた。アダムにマリアを奪われてから、ずっと気になっていた。アダムの娘だから殺されてはいないと思うが、つらい目に遭っているのではないかと心配だ。

「マリアか。マリアのことなら心配ない。僕たちの中でも順応しているよ。正直僕はね、エリックがマリアと恋仲になったと知った時、非常に感心したものだよ」

くるりと振り返り、ギルバートは潜めた笑いを漏らした。

「だってあんな鉄面皮…いや失礼、マリアは本当に溜息がこぼれるほど綺麗だったけれど、こちらがなにを言っても無反応でね。彼女の笑顔を引き出すことができたエリックは、僕たちの間では神的存在だったよ。今はその無反応ぶりが嫌じゃないね、彼女のクールさはけっこう癖になる。あの冷たい目で見られると心地いいっていうか…。残念ながらマリアは今でもエリック一筋みたいだけど、いつか振り向いてくれないかと期待しているところだ」

饒舌《じょうぜつ》なギルバートに、啓は目を丸くした。自分でも喋りすぎたと思ったのか、ギルバートが苦笑して両手を広げた。

「まぁ要するにそれほど心配はいらないってことだ。僕も《薔薇騎士》の一人としてエリックの妻に無体な真似はしない。それにアダム様がマリアになにかしたら死ぬよりひどい目に遭わせるって言っているしね。アダム様には誰も逆らわないよ」

「そ、それじゃ…、もう自由にしてやってくれよ！」

無理とわかっていても、啓は叫ばずにはいられなかった。

「言っておくけど、マリアはあの赤毛と違って縛られているわけでも閉じ込められているわけでもない。彼女の意志でアダム様の傍にいるんだよ。いろいろ思惑があるみたいだけどね」

マリアが監禁されているわけではないと知り、啓は呆然としてギルバートを見つめた。嘘だと言いたいところだが、少し話してギルバートが嘘を言っているわけではないと気づいた。具体的にどうというわけではないが、近くにいるとギルバートがまだ刻印を所有しているのが分かる。アダムにも感じた《薔薇騎士》独特の空気を感じるのだ。

「少しお喋りが過ぎたかな。君は情に弱いから、僕と長く話すと僕を滅ぼせなくなるかもね。次に会う時は、力の限り闘おう」

ギルバートはにっこりと笑い、今度こそ去っていった。

その後ろ姿を見送り、啓は手に取った封筒を見つめた。これは確かに有り難いものだ――だが…。

「結局アダムの思う通りにことが運ぶのかよ…」

悔しくてつい呟いてしまうと、傍《かたわ》らに立ったアデラが目を細めて杖で啓の足を狙った。反射的に跳躍してそれを避け、啓は面白そうに笑うアデラを睨みつけた。

「誰の思惑がどうであろうと、どうでもいいと思えばいい。お前さんはもう少し強《したた》かになるべきじゃな。使い道があるものは利用すればいいまでよ」

ほっほっほ、とアデラが高らかに笑う。啓は「ちぇっ」と舌打ちして、封筒を小脇に抱えた。

なるべくならこれは使わずにすませたいものだ。

啓は顔を引き締め、明日に思いを馳せた。

Ⅷ　奪還

まだ日が昇り切らない薄暗い時間帯に、啓《けい》たちは薔《ば》薇騎士団《らきしだん》の屋敷の近くに辿りついた。

薔薇騎士団の屋敷の裏手には家畜を飼っているスペースがあり、その隅に井戸がある。井戸の近くに置かれている巨大な石をレヴィンが動かした。石の下には木の板がはめられ、取っ手を掴むと地下への入り口となっている。レヴィンが先頭に立ち中に下りていく。啓たちも続いて錆《さ》びた鉄の梯子《はしご》を伝い、細く狭い道をレヴィンの案内の下、進んだ。いざという時のために用意された抜け道らしいが、知っているのはバートンやメリッサ、レヴィンの時代に活躍した《薔薇騎士《ローズナイト》》や《守護者《ガーディアン》》だけだという。

地下通路は湿った臭いがする狭苦しい空間だ。まっすぐな道ではなく、曲がりくねってかなり迂回して屋敷に入る。途中迷路のように人を惑わす道や、侵入者を阻む仕掛けが施されていた。レヴィンは記憶を甦《よみがえ》らせつつそれらを解《と》き、屋敷に通じる出口へついた。つくまでに三時間かかり、何故これまで使用されなかったのか理由が分かった。表から行けば十分で行ける距離だ。よほどの事情がない限り、この道を使う気にはなれない。

レヴィンの案内のもと到着した場所は、地下の貯蔵庫だった。煉瓦壁《れんがへき》に囲まれた室内に小麦や穀物の大きな袋が積まれている。ラックに並んだ缶詰や調味料を横目に、啓たちは静かに行動した。

「時間がないな。急ごう」

現在九時だが、十時にはラウル、兵藤《ひょうどう》、ボイドが正面玄関から入ってくる手はずになっている。サンダーもラウルたちと一緒だ。

啓は廊下に出る前にレヴィン、アシュレイ、エミリー、雄心《ゆうしん》に祝福した剣を手渡した。右手の刻印は痛いほどに熱を発している。屋敷には大勢の《不死者《アンデッド》》がいる。準備が整ったと感じ、啓は率先して廊下に出る。階段の踊り場のところに立っていた《不死者》の背後にすばやく回り込み、剣を突き立てる。

「…っ」

断末魔の声を上げる間もなく、《不死者》が灰になっていく。それを尻目に、啓は階段を駆け上った。同時に女性の細い悲鳴が聞こえてきて、啓はレヴィンに前方にいる《不死者》の始末を目で頼み、自分は使用人の部屋のドアを押し開けた。悲鳴が聞こえてきた部屋の内部では、メイド服に着替えている途中の女性に、まさに《不死者》がのしかかっているのが見えた。その背中に剣を振りかざすと、「ぐぁ…っ」と声を上げ、《不死者》が灰となる。

「あ、あ、あ…っ、ケ、ケイ…様…っ⁉」

咽元《のどもと》から少量の血を流し、メイドが助かった安堵感と恐怖の入り交《い》じった顔で啓を凝視する。メイドはなにが起こったかよく分かってないらしい。エミリーが女性をなだめるように助け起こす。

「あとで治療してもらって！」

啓は去り際にそう声をかけ、レヴィンを追った。外に出るとレヴィンはすでに使用人の部屋にうろついていた《不死者》を二体始末した後だった。レヴィンと合流して、使用人の部屋を抜け、さらに階段を上った。

「散れ！」

ドアを押し開けると、複数の《不死者》がたむろしていて、啓は叫んだ。レヴィンが虚を衝《つ》かれた《不死者》に剣を振る。逃げ遅れた二体の《不死者》が叫び声を上げて消えていった。啓は右手に飛び出し、アシュレイと雄心は左手に動いて襲ってくる《不死者》に立ち向かった。

「《薔薇騎士》だ!!　《薔薇騎士》が来たぞ！」

一体の《不死者》が大声を上げて知らせ、一気に場が騒がしくなった。

長い廊下に次々と《不死者》が集まってくる。啓は握った剣で周囲の《不死者》を次々と始末する。啓の力に怯《ひる》んだ《不死者》の動きが複雑に変わった。すぐには襲いかからず、じりじりと間合いを取って啓の隙を窺《うかが》う。

「同時にやるぞ！」

《不死者》の一体が目配せして啓を取り囲む。

衛士《えじ》がいないのを確認して、啓はにやりと笑って剣を左手に持ち替え、右手で腰から祝福のキスをしておいた鞭《むち》を抜き取った。

「ぎゃあああ…ッ」

一斉に飛び込んできた《不死者》に鞭を回転させて叩きつけてやると、四方に灰色の粉が舞い散った。叫び声が消えていく前に啓は走りだし、「マスクが必要だな…」と呟いた。

あまたの《不死者》を倒し、一階の玄関ホールに辿りつくと、長銃を持った衛士たちが行く手を遮《さえぎ》った。

啓が動く前にアシュレイが前に出て、凛《りん》とした声で叫ぶ。

「銃を下ろしなさい、《薔薇騎士》に対して無礼な真似は許さない。あなた方にも分かったでしょう、この屋敷を守っていたのが《不死者》だったということが‼」

アシュレイの声に衛士たちが戸惑った顔で、顔を見合わせる。構えていた長銃を下ろす者もあり、誰もが動揺していた。そうこうするうちに庭から怒鳴り声や物がぶつかる重い音が聞こえてくる。

正面玄関の大きな扉を開くと、ラウルが《不死者》と闘っている姿が見えた。ラウルは啓の血を少量入れたボトルを携帯していて、屋敷に入る前にそれを剣に塗ったのだ。啓の血で《不死者》が滅ぼせることは、ルイスの行為により明らかだった。ラウルが次々と《不死者》を灰にしていくのを目の当《ま》たりにして、衛士たちがざわめく。

サンダーもボイドを守りながら《不死者》と闘っている。サンダーの牙に啓の血を塗ってみるとラウルが言っていた。サンダーが噛むたびに《不死者》が灰になっていくのはそのせいか。サンダーは試練の間でも啓よりずっと強かったし、本気で《薔薇騎士》を譲ってもいいなと啓は思った。

啓はくるりと振り返り、衛士たちに向かって一歩進んだ。

「――ルイスに総帥の資格はない。道を開けろ」

啓の鋭い声音と気迫に、衛士たちが一斉に長銃を下ろして、道を開ける。一列に並んだ衛士たちの間を堂々と歩き、啓は螺旋階段《らせんかいだん》に足をかけた。啓の後ろからアシュレイやエミリー、雄心が続く。それなのにレヴィンだけは玄関ホールから動こうとしない。レヴィンは案内はすると言ってくれたが、薔薇騎士団の屋敷に入るのは躊躇《ちゅうちょ》していた。《不死者》に堕ちた身では、この聖域を侵せないとでも考えているのだろう。くだらない考えだ。啓は手すりに手をかけ、立ち止まった。

「レヴィン、お前も見届けろ！」

半端な言葉ではレヴィンが動かないのを知っているので、啓は顔ごなしに命じた。レヴィンがハッとした顔で身体を揺らし、無言で雄心のあとからついてくる。ちょうどラウルや兵藤、ボイド、サンダーが到着し、急いで啓たちを追ってきた。ラウルは表にいた《不死者》をあらかた始末したと得意げだ。

「行こう」

啓は声を上げ、ルイスの元へ急いだ。この螺旋階段を上るのはあの日以来三年ぶりだ。啓は二階の会議室へまっすぐ向かうと、目にも止まらぬスピードで廊下を駆けてくる《不死者》に鞭を振るった。二体の《不死者》を始末した空間から別の《不死者》が迫ってきた。《不死者》は両側から迫ってきて、レヴィンとラウルの剣の錆《さび》になった。

「やっぱ両側は俺らが守らないと駄目だな」

ラウルは啓の右側につき、明るく笑って言った。

「我らが《薔薇騎士》のために…か」

レヴィンが薄く笑って呟く。

会議室につくまでの廊下には、大勢の《不死者》がいた。それらを片っ端から倒していくのはなかなか爽快だった。予想通りギルバートクラスの《不死者》はいない。レベル2の《不死者》とはいえ、ここにいる《不死者》はレヴィンとラウルという《守護者》がいる啓には、雑魚《ざこ》同然だった。

ようやく会議室につき、重い扉を押し開けると、室内には異様な雰囲気が充満していた。

円卓の正面にルイスが引き攣《ひっ》った顔で座っている。その周囲には長銃をこちらに構えた衛士たちが並んでいた。おそらくルイスの親衛隊とやらだろう。

正規メンバーは壁に一列に並ばされ、親衛隊の長銃の先が向けられていた。室内に《不死者》はいない。啓の右手の刻印は、先ほどからレヴィン以外の《不死者》を感知していない。おおかたの《不死者》は滅ぼした。残りは逃げてしまったということだろう。

啓は持っていた鞭を部屋の隅に放り捨てた。代わりに左手に持っていた剣を右に持ち替える。

「ち、近づくな！　お前ら、そいつを撃て！」

啓が一歩進むと、ルイスが金切り声を上げてヒステリックに机を叩いた。親衛隊たちは銃の引き金に指をかけ、一歩進んだ啓に銃を撃ち込んできた。だが瞬時にレヴィンが啓の身体を覆い、高く跳躍する。同時にラウルが飛び出し、銃を持った親衛隊たちを風のような速さで吹っ飛ばしていた。啓を狙った親衛隊たちは次の銃を構える間もなくラウルにのされる。

レヴィンは啓を抱えたままシャンデリアにぶら下がり、硝煙《しょうえん》がたゆたう床に、すとんと下りた。この二人はやはりなにも言わなくても通じ合うものを持っていると思う。双子のように呼吸が合うなんて、なかなかあるものではない。

啓はレヴィンを押しのけ、さらに前に進んだ。まだバートンたちに銃を向けていた親衛隊たちが残っていたが、彼らは戸惑い、どうしていいか分からないという顔つきになっている。

正規メンバーの顔をぐるりと見渡すと、バートンや文也《ふみや》たちといった面々が啓に向かってすがるような眼差《まなざ》しを向けている。皆の顔が疑惑と不審、救いを求めている。そこにマリオと、ルイスの父親であるフィリップ・ベアズリーの姿はなかった。少し気にかかったが、啓はルイスに対して口を開いた。

「ルイス、お前は自分が《薔薇騎士》であると偽り、ラウルを監禁し、ボイドを殺そうとした。挙げ句にこの屋敷に《不死者》を大量に招き入れ、正規メンバーを人質にとって銃を向けるとはどういう了見だ。申し開きできるなら、この場でしてみろ」

啓が威嚇するように大声で告げると、ルイスは真っ青になって拳《こぶし》を震わせた。

「僕は偽物じゃない！　僕が総帥だ、なにをしてる!!　こいつを撃てって言ってるだろう!!　僕の言うことが聞けないのか!?」

激しく机を叩きつけ、ルイスが腰を浮かせて、キンキン声で怒鳴っている。よく見るとルイスは病人みたいにげっそりとやつれ、目ばかりがぎらついていた。

「ラウルやボイドのことなんて、僕が知るか！　僕がなにをしたっていうんだ、証拠を見せてみろよ！」

憎々しげに啓を見据《みす》え、ルイスが騒ぐ。

「僕は絶対にこの座を譲らない、僕を総帥の座から引きずり下ろせるならやってみろよ！　除名した団員を戻せるのは僕だけなんだ！　僕は絶対にお前を戻してなんかやらない、僕を総帥の座から下ろせる者なんてこの世にはいない!!」

勝ち誇った様子でルイスが騒いでいる。厄介な掟《おきて》だと啓はうんざりしてルイスを睨《にら》みつけた。ルイスは「ひっ」と身をすくめながらも、憎悪を感じさせる目で啓を睨み返す。

この男が啓を陥《おとし》れ、ラウルを過酷な目に遭わせ、ポールやシスターアンジー、オルテンシアといった多くのメンバーの命を奪い去った。ふつふつとした怒りが沸いてきたが、啓はそれを面に出さず、代わりにルイスに笑顔を向けた。

「ルイス、お前は愚か者だ。お前に分かりやすい言葉で語ってやろう」

にっこり笑って啓はアシュレイに手を差し出した。アシュレイがバッグから封筒を取り出し、啓に手渡す。本当はあまり使いたくなかったが、ルイスがうるさいから仕方ない。

「――ここに正規メンバー全員の血判状がある。お前を総帥の座から下ろすというものだ。これでもまだ総帥の座にいられると思うのか？」

啓が封筒から正規メンバーの血判状を取り出すと、ルイスは一瞬顔を強張らせたが、すぐにあざけるように笑いだした。

「馬鹿な奴！　そんなもの僕が廃止してやったさ！　いつ集めたか知らないけど、血判状など無効だ！」

「よく見ろよ、ルイス」

癇《かん》に障《さわ》るルイスの笑い声を制し、啓は血判状の一枚を取り出し、ルイスによく見えるように突きつけた。

――ざぁっとルイスの顔から血の気が引いた。

啓は今は亡き、ポール・ムーアの血判状を皆に見えるよう掲げた。全員が息を呑み、戸惑った声を上げる。

「これはポールの血判状だ。お前が決めた廃止日はいつだ？　――そうだ、思い出したみたいだな。お前が廃止を決めたのは、ポールが死んだ後だ‼」

ルイスはポールを殺害した後、血判状制度を廃止した。ルイスにもそれが分かったらしい。がくがくと全身を震わせ、椅子にへたり込む。アダムからの贈り物は出したくなかったが、ポールの無念を晴らすという意味では、こうして日の目を見れてよかったのかもしれない。

「に…っ、偽物だ…っ！　ポールの名を偽って…っ、き、きっと…っ」

まだ無駄な悪あがきを続けるルイスに、啓は苛立ちを覚えたが、表情には出さなかった。

「偽物じゃない。筆跡鑑定でも、血液鑑定でもしていいぜ。それから皆に聞いてみろ、あれから血判状を作ったか、ってね。誰も作ってない。これは正真正銘お前が恐れて盗ませた血判状だ」

啓が冷徹な声で事実を述べると、ルイスは目に見えてうろたえた。

「う…、嘘だ…、嘘だ…僕が総帥の座から下ろされるなんて…っ」

ルイスはパニックになって頭を抱え、呻《うめ》いている。ルイスの親衛隊たちは、ざわつき始めた。彼らにもルイスが総帥ではいられなくなったのが理解できたらしく、銃を下ろして青ざめている。メリッサが自分たちに銃を向けていた親衛隊たちを退けると、それまで人質状態だった正規メンバーが自由になった。

「ルイス、お前はもう薔薇騎士団の一員ではない。血判状のもとに、お前は除名される」

啓が力強い声で宣言すると、その場にいた人々の溜息がいっせいに漏れた。歓喜とも、興奮ともつかぬ息遣いだ。

「異議なし！」

バートンが高らかに叫んだ。

「異議なし！」

「異議なし！」

次々に正規メンバーから同じ言葉が続く。周囲に異様な興奮が高まった。異議なしという言葉が、部屋にこだまする。

ルイスを総帥の座から引きずり下ろした。啓はそれを確認すると、握っていた剣に力を込めた。

それまでの張りつめた空気が弛まったのを感じ、啓は持っていた剣を机に突き刺した。かつてラウルが壊した机はそのままそこにある。どすっと机に剣が突き刺さる音がして、ハッとしたように皆が口を閉ざした。全員の視線が啓に降り注ぐ。

啓は円卓を飛び越えると、ルイスの座っている机まで一気に間合いを詰めた。どんと音を立ててルイスの座っている机に飛び乗り、目の前のルイスの胸倉を摑む。

「ひぃ…っ」

ルイスを持ち上げると、恐怖で目を剝くルイスの左頰を思い切り殴りつけた。

「てめぇ、よくもやりやがったな！」

今までの鬱憤《うっぷん》を晴らすように、啓は拳に力を込めた。ルイスに会ったら絶対に殴り飛ばしてやると決めていたのだ。これまでの苦しみを振り返れば、一発や二発はぶちかまさないと納得いかない。右ストレートは小気味いいほど決まった。ルイスはレベル1の《不死者》並みの反射神経だ。

「あぐ…が…」

左頰を打たれたルイスが白目を剝いてぐったりしている。

「これはラウルの分だ！」

左の頰にもう一発拳を入れると、ルイスは完全に意識を失い、手からずり落ちて床に伸びてしまった。

「おい、こんなんで伸びるなよ！」

机から飛び下り、顔面を腫《は》らしたルイスの頰を叩いて目を覚まさせようとしたが、完全に気を失っている。まだボイドの分とポールやシスターアンジー、オルテンシアの分も残っているのに。

「俺のやること、なくなっちゃったじゃん」

近づいてきたラウルが、ルイスの変わり果てた顔を覗き込み、おかしそうに笑う。床に倒れたルイスを囲み、ようやくバートンたちが緊張感から解かれた。

「ケイ…っ、ケイ！　君は本当にいつでも救世主だ！」

バートンが啓に両手を広げて抱きついてくる。

「啓、よかった、間に合って。お前が助けに来てくれると信じていたぞ」

文也も安堵した顔で啓をねぎらう。

「改めて血判状の下、ルイスを除名し、総帥解任することを、ここに証言する。異議のある者は？」

血判状を受け取ったバートンが、手を挙げ、高らかに宣言する。拍手が沸き、皆が口々に啓に礼を告げた。

正規メンバーたちは形勢逆転とばかりに、親衛隊たちから銃を奪い取っていった。親衛隊たちはまごつきながら、伸びているルイスを部屋の外へ連れ出そうとする。それを雄心や兵藤、エミリーが制し、衛士たちがルイスと親衛隊を拘束した。

「ボイドはスパイの疑いをかけられていたけれど、無実だ。それにラウルも…、ずっとルイスに監禁されて、ひどい目に遭った。ルイスと、ルイスの父親であるベアズリーの罪を問いたい。彼らは私腹を肥やすために《薔薇騎士》であることを騙《かた》り、その地位に就《つ》いた。ルイスは《薔薇騎士》ではない、ふつうの人間だ」

啓が皆に聞こえるように声を張り上げて告げると、まだルイスの正体を知らなかった正規メンバーたちがざわついた。《薔薇騎士》を騙るなど不可能だと思っていたので、彼らは驚いている。

「それに関しては我々にも落ち度がある…。フミヤから聞いて驚いた…、まさかルイスが能力者を騙っていたなどとは…。もっと早くにジャッジすべきだった…」

バートンが沈痛な面持ちで謝罪する。亡くなったポールを思い出しているのだろう。

「ケイの血で《不死者》を滅ぼしていたとは、まったくもって許せないことです。ルイスは厳罰に処して、彼の父親も薔薇騎士団から除名すべきですね」

　白髪の老婦人メリッサも厳しい顔つきで告げる。

　まだ事情を知らない正規メンバーに、アシュレイがルイスの数々の悪業を話して聞かせた。最近入り込んだ警備員たちが《不死者》だったことは、彼らも薄々勘づいていたが、まさかと思い言いだせなかったようだ。ルイスがアダムと通じていたことはメンバー皆を震撼させた。なすべき責任は果たした。啓はそう思い、これまでの疑惑のすべてを明らかにした後、部屋を出ていこうとした。

「待ってくれ、ケイ。何故出ていく？　今や…いや、五代目総帥であるエリックが死んでからずっと、君は唯一の《薔薇騎士》なのだ。たとえ君がアダムの血を引いていようとも、《薔薇騎士》である君こそが総帥になるべきだ。今度こそ我々は真の総帥を選ばねばならない。ケイが総帥になることに異論のある者がいたら、挙手してくれ」

　バートンは正規メンバーを見渡し、声高に問いかけた。啓は驚き、誰も意義を唱えないことに躊躇を覚えた。

「バートン、俺は総帥になる気はない。薔薇騎士団に戻るかどうかも決めてない」

　啓が口を挟むと、バートンは信じられないという顔つきで啓の肩を摑んでくる。

「どうしてだ？　我々を助けに来たのは、君が真の総帥になると決心したからではないのか？　君がルイスを裁いた時、私は久々に胸が高鳴った。君こそ真の《薔薇騎士》だと私にも感じられたのだ。久しくこの感覚を忘れていた。私はつくづく愚か者だった」

「バートン、私たちもそう願っているのです。啓こそ、総帥にふさわしい」

　それまで黙っていたアシュレイが一歩進んで、決然とした口調で話し始めた。

「我々はこれまで苦汁《くじゅう》を嘗《な》めてきました。そこから救い出してくれたのは、間違いなく啓です。ルイスは偽物だ。六代目総帥になったことは、白紙に戻すべきでしょう。六代目総帥は五代目総帥の息子である啓がなるべきです。二人の《守護者》が守っている啓が真の《薔薇騎士》だと、私はずっと皆さんに言いたかった」

演説じみた口調でアシュレイは皆を説得にかかっている。

「私もケイが総帥になることに賛成です。あなたが総帥にならなければ、またどんな偽物が総帥の座に納まろうとするか分からない。あなたは澱《よど》んだ空気を一掃してくれた」

ハロルドが力強く拳を振り上げて賛成する。

「我々も賛成だ、我々はずっとケイが六代目になるのを願っていた」

ローレンスとジョアンが心から賛同する。

「私たちも同意見です。あなたがこの部屋に飛び込んできた時、エリックを思い出した。エリックがいた頃の力が漲《みなぎ》る感覚を……久しぶりに思い出しました」

長身の眼鏡《めがね》をかけた中年男性が大きく頷く。彼はアシュレイの父親のケヴィンだ。

「ほらね、皆同じ気持ちなのよ。啓、あなたはここから出ていってどうするっていうの？　あなたがいるべき場所はここなのよ」

皆の意見に合わせてエミリーが笑う。

「まったくです。啓殿、ここはひとつ覚悟を決めて総帥になってほしい」

兵藤までが得意げな顔で言う。

「啓、総帥、なる」

雄心が短く告げて啓の肩を抱いた。

「俺はどっちでもいいけどね」

横にいたラウルはいつもの調子だ。

レヴィンは薔薇騎士団のことに口は挟みたくないと思っているのか無言だったが、そうすべきだと言いたげに深く頷いている。

啓はこれ以上黙っていると、説得されてしまうのを感じ、制するように両手を軽く上げた。正規メンバーは数が減ってしまったが、ほとんど啓の知っている顔だった。啓は軽く溜息を吐き、真摯《しんし》な顔で口を開いた。

「俺がルイスと同じことをしたらどうするつもりだ？　俺を止める者が、いるのか？」

啓が鋭い声で問いかけると、メンバー全員がギョッとして黙り込んだ。一瞬の沈黙があったが、すぐにアシュレイが口を開く。

「あなたとルイスは違う。あなたは真の《薔薇騎士》です。私利私欲に力を使うことはない。これまでも、そうだったではないですか」

憤然とした様子でアシュレイに食ってかかられ、本気で自分を総帥に押し上げようとしているなと啓は内心焦った。

「俺がもし総帥になったら、ここにいるレヴィンを《守護者》として扱い、薔薇騎士団に戻す。それでもお前たちは、総帥になってもいいというのか⁉」

啓が放った一言に、場が凍りついた。中でも一番動揺したのはレヴィン本人だった。顔を強張らせ、

「啓！」と叫ぶ。

「なにを言いだすんだ、お前は⁉　馬鹿なことを――俺は穢《けが》れた身だ、薔薇騎士団への復帰など求めていない‼　俺のことなど構わず、お前は総帥になるべきなんだ、何故そうしない！」

驚愕《きょうがく》したレヴィンは啓の言葉を打ち消そうと叫んだ。だが、遅い。啓は意見を変える気はないし、どうすべきか選ぶのは啓ではなく薔薇騎士団団員である彼らなのだ。

啓の言葉は正規メンバー全員を混乱させた。レヴィンが《不死者》であることは誰もが知っている。薔薇騎士団の理念はすべての《不死者》を滅ぼすことだ。相反《あいはん》する考えは受け入れられない。

総帥になること自体は、今になってはそれほど嫌なわけではない。けれど啓が提示したものは譲れない条件だった。レヴィンの存在を認めない薔薇騎士団に戻ることになんの意味があるか分からない。どこにいてもアダムを滅ぼすことはできるし、啓は啓だ。肩書など求めていなかった。

「啓…」

アシュレイはもどかしげに啓を見て、なにか手はないかと模索している。啓の条件は受け入れられるはずがないものだ。一同を見渡すと、啓は話は終わったとばかりに部屋を出ていこうとした。

「お待ちなさい、ケイ」

その啓を呼び止める者がいた。

意外な人物の声に、啓は目を見開いて振り返った。

啓を呼び止めたのは、メリッサだった。バートンと同じくらい長く薔薇騎士団を支えてきたかくしゃくたる老婦人だ。規則に厳しく、鉄の女と呼ばれている。

にこりともしない顔を啓に向け、皆を代表するように進んでくる。

「薔薇騎士団をまとめるのは《薔薇騎士》の義務なのです。これはもう何百年も続いてきたこの結社の掟です。あなたが勝手に立ち去ることは許されない」

相変わらずジョークの一つも許さない雰囲気で、啓を真っ向から見据える。啓が黙って見返すと、メリッサはくるりと振り向き、啓の前に立ち、皆を見た。

「私はレヴィンがこの薔薇騎士団で活躍していた時代を知っています。レヴィンは誰よりも誇り高き《守護者》でした。エリックの生きていた時代…、そうね、レヴィン」

メリッサがレヴィンを見やる。レヴィンはメリッサを見返し、苦しげに目を伏せる。

「レヴィンは《不死者》に堕ちてから、二十年経った今も、ただの一度も誰かの血を吸いつくし、《不死者》を生みだしてはいない。ずっとケイを守り続けてきました。それなのに私たちはどうでしょう、あの偽物を総帥の座に据えてしまい、唯々諾々《いいだくだく》とその罪に手を貸していた…ポールやアンジー、オリーや他の大勢の罪のない人々が命を失った。私たちがルイスを総帥として認めてしまったから」

メリッサの言葉に誰もがうろたえて重苦しい面持ちになる。啓もびっくりしてメリッサを凝視した。あのメリッサがレヴィンを庇っている。

「メリッサ…、その通りだ」

バートンが重苦しい声でメリッサに同意した。

「我々の罪は重い。あやうく薔薇騎士団を破滅させるところだった。《不死者》を殲滅《せんめつ》するための組織が、《不死者》にのっとられるところだったのだ」

バートンは老いた顔に刻まれたしわをよりいっそう深くする。

「薔薇騎士団は《不死者》を殲滅することが目的です。けれどケイは《不死者》であるレヴィンを信用している。ケイ、あなたはレヴィンに対してすべての責任を負うと約束できますか？」

メリッサが啓と向かい合い、厳しい言葉を叩きつけてくる。

「できる」

啓が即答すると、メリッサが唇の端を吊り上げた。

「ではレヴィンに刻印が残る限り…そして不審な動きがあれば、すぐに除名し処刑するという条件の下、私はレヴィンの復帰を認めたいと思います。もちろんこれは例外中の例外、すべての責任は総帥であるケイが負うという約束の下に」

メリッサが啓の右手を掲げ、皆に向けた。

「異論のある者は前に」

メリッサに促されたが、誰一人として出てくる者はいなかった。誰かが拍手をし始めると、それがさざ波のように広がり、啓が総帥になるのを望むように大きな波となる。いや、一人だけ異論がある者がいた。レヴィン自身だ。レヴィンが信じられないという顔つきで、反対する。

「俺は…っ、メリッサ…、俺は…」

レヴィンはどう言っていいか分からないという顔で老婦人を見つめている。

「見苦しいな、レヴィン。いい機会なんだからあんたも戻ればいいんだよ。あんたは確かに《守護者》だよ。俺が証明するぜ」

横からラウルが口を出し、レヴィンの肩を叩く。ラウルは本当にいい奴だなと思い、啓も覚悟を決めた。

レヴィンに対して責任を負うということは、並大抵の決意ではできない。未来になにが待ち受けているか分からないし、どんな過酷な試練が訪れるかも分からない。けれど啓はレヴィンを信じている。レヴィンは決して啓を裏切らない。総帥になった啓を裏切らないということは、薔薇騎士団も裏切らないということだ。

――六代目総帥の座に、就く。父の守ったこの薔薇騎士団を、自分が率いる。

葛藤はあるが、レヴィンとラウル、それに信頼する仲間がいれば、乗り越えられるはずだ。

これは最初の命令だ。

「レヴィン、お前の命は俺が預かる。――六代目総帥として、命じる。レヴィン、薔薇騎士団の一員として、復帰するように」

啓がよく通る声で宣言すると、うなだれていたレヴィンがハッとした顔で背筋を伸ばした。

「お前は、俺の《守護者》だろ？」

啓は極上の笑みで、レヴィンに笑いかけた。

IX 在りし日の

全面がガラス張りの窓にかかる長いカーテンを開け、啓《けい》は眩しげに太陽を見た。

この部屋からの景色を見るのは久しぶりだ。薔薇騎《ばらき》士団《しだん》の屋敷の自分の部屋――かつて父が使っていた《薔薇騎士《ローズナイト》》のための空間。またここに戻ってくる日がこようとは思わなかった。

ルイスを総帥の座から引きずり下ろし、啓は薔薇騎士団の六代目総帥になった。今まで責任のある地位には就《つ》きたくないと思い避けてきたが、その座に就いた以上は全力で任務に当たらねばならない。五代目総帥である父の名を穢《けが》さないためにも。

父は総帥となった啓を、どう思っているだろうか？喜んでくれるか、それとも心配されるか。父がこの場にいたらなんと言うだろうと考えて啓は小さく笑った。

数日前、この薔薇騎士団の屋敷から《不死者《アンデッド》》を追いだしてから、めまぐるしい日々が始まった。ルイスの息がかかっていたバルバロッサやオリバーやメイドたちは解雇され、ボイドが家政を取り仕切る責任者に戻った。屋敷の修復や新人の教育に大忙しだ。ボイドは勝手に住みついていた衛士《えじ》たちも追い出し、屋敷には正規メンバーしか住めないという規則を復活させた。もともと衛士は屋敷の近くに宿舎があり、そこで生活していたので、そちらに戻ったようだ。屋敷を出ていったエミリーも戻り、国外へ逃亡していた他の正規メンバーも帰ってきている。能力を使ってはいけないという規則も廃止され、啓は正規メンバーには以前の通りマルタの監視や《不死者》の追跡を頼んでいる。以前の状態に戻ったものの中で、啓が楽しみにしていることがあった。

クローゼットから薔薇騎士団の制服を取り出し、啓は久しぶりに袖を通した。三年前に使っていたものなので、少し丈が短い。さすがに二十歳《はたち》を越えた頃に成長は止まったが、この制服を作ってもらった頃に比べると、身長が伸びたらしい。

制服に身を包んだ啓は、部屋を出てラウルの部屋を飛ばしてその隣をノックした。ラウルのところにはあとで行くことにしよう。

入れ、と声がかかり、啓はそっとドアを開ける。

窓際に制服を着た男が立っていた。金糸のさらさらとした髪を軽く束ね、じっと窓から庭の景色を眺めている。その顔がゆっくりと啓に向けられ、青い瞳が物《もの》憂《う》げに啓を見た。

「レヴィン…やっぱかっこいいな！」

レヴィンの制服姿を生で見るのは初めてだ。ドキドキして啓は窓際に立つレヴィンに駆けよった。

まさかこの目でレヴィンが薔薇騎士団の《守護者《ガーディアン》》として立つ姿を見られるとは思わなかった。あの日出ていくつもりで啓が提示した条件を、メリッサが承諾し、皆に同意を求めた——信じられない話だ。《不死者》であるレヴィンがこの屋敷の中に住めるなんて。

「啓…、何度も言うようだが俺は…」

啓の興奮とは反対に、レヴィンの沈みがちな瞳はすぐ床に落とされる。啓がレヴィンの復帰を求めてから、ずっとこんな調子だ。レヴィンはこの屋敷を愛していて、穢れた身で踏みにじってはいけないと考えている。おそろしく古い考えで。

「そんなに居心地悪かったら、父さんの屋敷が修復できたらそっちに移ればいいじゃん」

毎回暗い顔をされるのもたまらないので、啓は努めて明るい口調で言ってみた。父の屋敷は知らぬ間にスティーブンが修復してくれていて、もう来月にも引っ越しできる予定だ。啓としても父が住んでいた屋敷に移りたい気持ちが強かったので否《いな》やはない。

「ラウルも呼んでさ、三人で…あ、もしかしたら雄心《ゆうしん》も来たがるかも？　そうするとアシュレイも来るって言いそうだなぁ」

うつむきがちのレヴィンの顔を下から覗き込み、啓は笑顔になった。レヴィンが戸惑った顔を上げ、物言いたげな表情をする。

「《守護者》って可哀相だな。俺の命令に逆らえないんだもんな？」

意地悪く告げると、レヴィンが呆れた様子で啓の髪に触れてきた。

「まったくだ…。俺は二度とここには入らないはずだったのに…。お前はどうして…」

レヴィンの指先が髪に絡まり、頬へと下りてくる。軽く抱き寄せられて、啓はレヴィンの背中に手を回した。

「俺は父さんにはなれないよ」

啓はレヴィンをまっすぐ見て告げた。驚いた顔でレヴィンが目を見開き、頬を撫でていた手を止める。

「だから俺は俺のやりたいようにやることに決めたんだ。俺はレヴィンをここに戻したかった。レヴィンが嫌でも、従ってもらうぜ。大体レヴィンって考え方が古風だよな？　格式ばってるっていうか……ずっと薔薇騎士団のために働いていたのにさぁ、なんで日陰の身に甘んじてるわけ？」

「啓…」

「レヴィンはよくても俺は納得いかない。今時じっと耐えるなんて流行《はや》らないよ、そういうの古いっていうか――」

　唇をふさがれて、啓はそれ以上言いたいことが言えなくなってしまった。レヴィンは啓のうなじを抱え、何度も角度を変えてキスをする。レヴィンの唇が触れるたびに気持ちよくなって、啓はぎゅっと制服の腕にしがみついて唇を濡らした。すぐ終わるかと思ったキスは長く続き、舌を絡ませるような深いキスになっていった。

「ん…、ん…」

　吐息をこぼしながら深くなっていくキスに焦っていると、ノックの音がして背筋を震わせた。ノックはうるさいほど鳴っている。多分、ラウルだ。

「んんーっ」

　レヴィンの髪に手をやり、無理やり引っ張って顔を離した。間一髪、ドアが開く前にレヴィンから身体を離せた。

「やっぱり、ここにいた」

　ドアには鍵がかかってなかったので、ラウルはずかずかと入ってきて窓際にいる啓とレヴィンの傍まで寄ってきた。ラウルも久しぶりに制服に身を包み、見惚《みと》れる格好よさだ。

「ケーイ、なんで先に俺を迎えに来ない？」

　拗《す》ねた顔でラウルに腕を引き寄せられ、啓はよろけて厚い胸板にもたれた。

「あとで行くつもりだったよ！　でもラウルは迎えに行かなくても、ちゃんと来るだろ？　レヴィンは迎えに行かないと、このままうだうだ部屋に居残ってそうじゃん」

　啓の答えにレヴィンが苦虫を嚙み潰したような顔になる。――今日は正規メンバーとマルタの警察署長や大統領を交えた会議がある。ルイスの処罰や、今後の薔薇騎士団のことについて話し合うのだ。

「俺は基本的に公の会議には参加しないつもりだ…。今まで通り俺が参加することで場が混乱するのは困る。話し合いは俺抜きでアダムを倒すためには力を貸すが、話し合いは俺抜きでやってもらいたい」

眉を顰《ひそ》めレヴィンは断固として言い放つ。

「ほらな。でも今日は参加しないと駄目。終わった後ルイスにアダムに関して尋問しないといけないし、なんといっても俺が総帥になって初めての会議だから…」

話している途中でラウルに両腕を摑まれ、強い視線で凝視される。その視線が恐ろしくて仰《の》け反《ぞ》って「なに？」と聞くと、顎《あご》を上向けられた。

「啓、今キスしてただろ」

どきりとして赤くなる。

「え、なんで分かったの？」

ごまかせばいいのだろうが、ついびっくりして聞き返してしまった。案の定ラウルが面白くないと言いたげに顔を引き攣《ひ》らせ、いきなりうなじを引き寄せてくる。

「ん、う…っ」

熱いキスが降ってきて、啓は慌ててラウルを押し返そうとした。けれど唇という敏感な場所が触れ合うと、気持ちよくなって抵抗できなくなってしまう。

「おい、俺の前でするとはいい度胸だな」

啓が押し返す前に、レヴィンが強引に割って入ってキスは中断された。赤くなった顔でごしごし頬を擦り、睨《にら》み合《あ》う二人の《守護者》を見る。二人とも凶悪な顔で睨み合い、互いの胸倉を摑んでいる。

「いいかげん啓から身を引いてくれないかな？　もうあんたの時代は過ぎ去ったんだよ。啓は俺が守るから、安心して引退してくれて構わないぜ」

「若造が知った口を利《き》くな、お前一人では守れないから俺がいるんだ」

火花を散らす二人を急いで仲裁しようとしたが、ノックの音が聞こえて別の問題が降りかかってくる。

「レヴィン？　いますか？」

ドアの外にいるのはアシュレイだ。

「レヴィン、人気者だな。どんどん人が集まってくるぞ」

啓が言い終わる前に、ドア越しにアシュレイの甲高い声が聞こえてくる。

「啓はこちらにいますか？　声がしたのですが」

どうやら捜している真の相手は啓らしい。

「俺じゃなくて、お前の周りに人が集まってきているんだ」

レヴィンは呆れた口調で呟く。アシュレイの訪問の理由に見当がついて、啓は姿を隠したくなった。だがよく考えればいい機会だ。啓はレヴィンとラウルの肩を摑んだ。

「二人とも、ストップ！　そこでちょっと待ってて！」

啓が大声で命令すると、いぶかしげに二人が同時に振り返る。その間にドアに走り、アシュレイを部屋に招き入れた。アシュレイも制服姿で、啓がレヴィンとラウルと一緒にいるのを見て、絶望的な顔になった。

「啓……」

「アシュレイ、思う存分ここで説教してやってくれ。ちょうど二人もいるし」

なにか言いかけるアシュレイを遮《さえぎ》り、啓は両手を広げて笑顔になった。

実はレヴィンとラウルとの関係がばれて以来、アシュレイからは毎日のように追いかけられてまともな道に更生すべきと責められていたのだ。自分ばかり言われるのは割に合わない。たまには啓だけではなく二人の《守護者》にも同じ苦痛を味わってもらいたいと思っていた。

アシュレイの登場にレヴィンもラウルもきょとんとした顔になり、互いを摑んでいた手を離した。二人を見やり、アシュレイは眼鏡《めがね》を指で押し上げ目をきらりと光らせた。

「分かりました、ちょうどお二人が揃ったところですので、私からお話しさせていただきます。レヴィン、ラウル、あなた方は、啓が現在、唯一の《薔薇騎士》

だとご存じなのでしょうか?」

尖《とが》った声音で話し始めたアシュレイに、ラウルが鼻で笑い返す。

「そんなの俺たちはとっくに知ってるよなぁ? レヴィン」

先ほどまでの殺意がすっかり消え、ラウルはからからと笑って答えている。

「今さらなにを言っているのだ?」

レヴィンも馬鹿にした口調で聞き返す。

「分かっているなら結構! それでしたら、啓はこの先善き伴侶《はんりょ》を迎え、次の《薔薇騎士》になる子を作らねばならないというのがお分かりですね。そのためには男同士の恋愛などご法度《はっと》。あなた方には啓と即刻別れていただきたい!」

二人をびしりと指さし、アシュレイがはっきり言う。ぽかんとした顔でレヴィンとラウルがアシュレイを見返し、困った顔つきになった。

「あれ、アシュレイ。なんで俺たちのこと知ってんの?」

まだ事情を知らなかったラウルは視線を泳がせて赤毛を掻いている。お前がガード機能を忘れたからだと突っ込みたかったが、啓は無言のまま殊勝な顔で控えていた。

「伴侶を迎えるのは、俺は賛成だ。この男に渡すのは我慢ならないが、啓には子どもを作る義務がある」

レヴィンは大真面目な顔で信じられない発言をする。以前、ラウルにならば任せてもいいと言っていたはずだが、今は気が変わったのだろうか。

「冗談でしょ、啓が結婚なんて認められないよ。でも体外受精で作るなら応援するよ! そうしたら俺も同じように子どもを作って、啓の子どもを守らせるよ」

ラウルはラウルで勝手な意見を言いだす。二人とも子どもを作るのには賛成なんて知らなかった。想像すらできないのに。体外受精なんてやる気もないし、そんなふうにして生まれてきた子どもが自分の生まれを呪わないか心配だ。

「私は冗談を言っているわけではありません！　な、なにを当然みたいな顔をして話しているのですか。子作りは先の話で、今は別れなさいと言っているのです！　別れてもあなた方には絆《きずな》があるのでしょうが。身体の関係など淫らです、破廉恥《はれんち》です、三人で関係しているなどというのは、薔薇騎士団のメンバーとしてありえない話です。大体《薔薇騎士》ともあろう者が、体外受精で子どもを作るなんて他の者にどうやって説明するつもりですか！　それにどんな女性だろうと、啓に二人も男の恋人がいると知ったら、受け入れられるわけないでしょう！」

ラウルとレヴィンがまったく意に介さないので、アシュレイはこめかみをぴくぴくさせて怒鳴っている。少しアシュレイに同情してしまう。この二人は自分に自信がありすぎて人の話を聞かないところがある。

「エミリーならやってくれるんじゃない？　体外受精の話頼んでみようかな」

ラウルが思いついたといった口調で告げ、さらにアシュレイの怒りを買った。

「あ、あなたは…っ」

アシュレイの右の拳《こぶし》が飛び出て、ラウルに難なく受け止められる。

「はは、アシュレイはエミリーに気があるから怒っちゃったな。アシュレイの手が出る時はマジ切れしてる時」

ラウルは豪快に笑ってアシュレイの左ストレートも捉《とら》える。

「わ、私はエミリーのことは同志として尊敬しているのです…っ、決してあなたの言うような…っ」

珍しくアシュレイが赤くなった顔で慌てている。啓はびっくりして目を丸くした。知らなかった。アシュレイはエミリーが好きだったのか。

「はいはい、尊敬、尊敬。でもエミリーは最近雄心がお気に入りみたいなんだよね、その雄心は啓一筋だからなぁ。世の中って上手くいかないね」

「おい、その辺にしておけ」

べらべら喋《しゃべ》りまくるラウルに対して、さすがにアシュレイを気の毒に思ったのかレヴィンが眉を顰めて窘《たしな》める。アシュレイはぶるぶると震え、怒りの形相でラウルを睨みつける。まずい、と焦った顔つきでラウルが駆けだし、啓の右腕を摑んで窓ガラスをがらりと開けた。

「待て」

レヴィンがムッとした顔で近づいてきて、啓の左腕を摑む。両方から強い力で引っ張られて、啓は焦った。

「いたたた！　マジで痛いって！　そんな引っ張られたら…先に手を放したほうがお母さんだよ！」

二人の力がすごいので、放してほしくて冗談まじりに口にする。すると二人ともそんな時代劇は知らないのか、見当違いの答えを出してきた。

「俺はマンマじゃなくて恋人だよ！」

「俺はマリアとは似てないと言っているだろう‼」

二人とも怒って言っているのだけは同じだ。

「啓、ここにいるの？」

ドアがノックされ、エミリーの声が聞こえる。この場にエミリーが来るとまたややこしい話になる。

「この場は退散だ、レヴィン！　アシュレイの説教は長いんだよ！」

啓の腕を摑んだまま、ラウルがバルコニーを指差し、大声で叫ぶ。

「仕方ないな…くどくど言われるのは俺も苦手だ」

レヴィンが溜息で答える。二人が啓の身体を抱え込んできたので、とっさにレヴィンとラウルの肩に両腕を回した。次の瞬間には、啓は宙高く浮いていた。

「うわああ…っ、ショートカット！」

レヴィンとラウルが啓をしっかりと抱えて三階の部屋のバルコニーから跳躍する。庭からサンダーの吠《ほ》える声。ぐんぐんと落下していくのは気持ちよくて、少し怖い。けれどこの二人が啓を落とすはずがない。安心して身を任せ、啓は空の散歩を楽しんだ。

警察署の四階にある会議室で行われた会議は、途中の休憩を挟み四時間ほどかかった。

極秘に行われてきたルイスの親衛隊や衛士たちからの証言で、ルイスのしてきた数々の悪事が露見した。《不死者》の餌食《えじき》にされた人の数は啓が想像する以上に多かった。遺族たちには手厚い補償が必要だ。ルイスの父親であるフィリップ・ベアズリーに関しても、マルタの警察署長のサムはその罪を追及すると請け負う。ベアズリーが所有する会社に関してはインサイダー取引や賄賂《わいろ》、それに横領が横行していて、目に余っていたという。これまでは四家の一族として思いきった手は打てずにいたが、これを機に一掃したいとサムは不敵に笑った。

「ベアズリーの罪は重いが、彼の血族で無関係の者は被害を受けないようにしてもらいたい」

啓はサブメンバー内で起こるかもしれないベアズリー叩きに関しても注意を促した。これまで鬱憤《うっぷん》がたまっていた分、虐《しいた》げられていたメンバーが同じようなことをしないか心配だ。

「次にマリオの件だが…」

報告を始めたローレンスが、渋い顔で顎を撫でる。

あの日、審問会にマリオがいなくてどうしたのだろうと思っていたのだが、どうやらマリオはポールが亡くなった頃から役目を放棄して海外を飛び回っているというのだ。マリオは儀式を終えて《守護者》になったものの、ルイスの命令を聞くのが嫌で、姿をくらましたらしい。一応ローレンスには月に一度どこそこにいると知らせてくるそうだが、なかなか薔薇騎士団に戻りたがらないとか。

「二週間前に報告があった時は、ジャカルタにいてね。元気そうだったが、戻る気はないと言っていた。次に連絡がとれるのは一週間後なんだ。ケイが戻ってきてルイスを追放したと知れば、喜んで戻ってくるだろう。それまで申し訳ないが大目に見てやってくれ。こちらから連絡をとる手段がないんだ」

マリオは携帯電話も持たずに、自由気ままにあちこちを飛び回っているらしい。

「それじゃマリオの件は後日で」

啓も苦笑し、残りの議題に話を移した。

あれこれと話し合いを続け、午後三時には一応会議は終了した。サムはようやくマルタから《不死者》を追いだせると知り安堵している。これまでメンバーが能力を使うのを禁じられていたのもあって、マルタ内に入ってくる《不死者》をチェックできなかった。今は《天使の耳》《エンジェルイヤー》と《神の眼》《ゴッドアイ》が二十四時間体制でマルタ内を監視している。

「ようやくまともな時代がくるな。君が帰ってくるのを待っていたよ、きっとポールもだ。あいつがここにいればなぁ…」

会議室を出ていく前にサムに挨拶《あいさつ》を交わすと、しんみりした口調で呟かれた。ポールの死は啓もつらい。もっと多くの命が救えたのではないかと後悔の念がつきまとう。サムと握手を交わし、会議室を出ると、啓はエレベーターにレヴィンとラウルとアシュレイ、雄心と乗り込み、目を伏せた。

「ルイスは罪を償わねばならないが、彼を操っていたのはアダムだ。アダムを倒さなければ、第二のルイスが現れないとも限らない…」

啓の言葉にアシュレイは思慮深い顔で頷いた。

「そうですね、こういうのは大元を絶たねば意味がありません。アダムは強大な敵ですが、必ず倒さねばなりません。その時こそ、サムの言うまともな時代がくるはず」

啓はそれに関しては頷かなかったが、黙って微笑んだ。

エレベーターの扉が開き、一階の受付を通り過ぎて啓は正面玄関へと向かった。啓たちの異質な制服を見て、一般人が不思議そうな顔で振り返る。

「車を呼んできます」

アシュレイが先に立って、待たせていた車を玄関前に横づけするために走っていった。啓たちが乗ったのとは別のエレベーターがちょうど着き、乗っていた人たちがどっと出てくる。

「レヴィン、ラウル、この書類にサインしてくれ」

ハロルドが足早に近づいてきて、二人が書き忘れた書類を振る。レヴィンとラウルは立ち止まり、ハロルドが近づくのを待った。啓は雄心と共に扉を開けて警察署から出た。石の階段を雄心と並んで歩き、視界の隅に車を手招くアシュレイを見ていた。

（ん…？）

きらりと光るものが目に入り、啓は建物の間に目を向けた。一体なんだろうと目を凝《こ》らして見ようとしたところで、背後からざわめきと皆の騒ぐ声が聞こえてくる。

「大変だ、ケイ！　ルイスが…っ」

青ざめた顔で走ってきたサムを振り返り、啓はなにが起きたのか聞こうとした。

その瞬間、くぐもった音がして、右肩が異常に熱くなった。

（え――――？）

気づいたら石段に引っくり返っていて、啓は目をぱちくりして空を眺めた。パン、パンと続けてなにかが破裂する音がして、一気に周囲が騒然とする。

「啓！」

「啓！」

レヴィンやラウル、それに隣にいた雄心や車を寄せていたアシュレイが血相を変えて駆け寄ってくるのが見える。起き上がろうとした啓は、右肩に強烈な痛みを感じ、頭が真っ白になった。制服の一部が焦《こ》げてそこから血があふれ出している。少し動かすだけで信じられないほどの激痛が走り、啓は誰かに撃たれたのだと知った。

「皆、伏せろ！」

遠くから銃を打っている人間がいる。啓はそれに気づき、瞬時に叫んで人々の注意を喚起した。警察署の前は大騒ぎになった。啓が撃たれたのを知り、サムや警察署内の警官たちが一般人の誘導を始めた。啓の周囲はレヴィンやラウル、雄心が守り、暗殺者を探っている。

「啓…っ、痛みは？　どこを撃たれた⁉」

啓の身体を自分の身体で防護し、レヴィンが蒼白な顔で啓を凝視する。啓は苦痛に喘《あえ》ぎつつも、右肩を押さえ、毅然とした態度を崩さなかった。

「俺は平気だ、肩を撃たれただけ…」

「啓、畜生！　誰がこんなことを…っ」

ラウルは毛を逆立てるようにして憤《いきどお》っている。血はどくどくと啓の右肩から流れ、啓を見つめるレヴィンはいよいよ顔を白くしていく。

「アシュレイ、兵藤《ひょうどう》を呼んでくれ。ラウル、レヴィンを少し離してくれないか…」

アシュレイはすでに啓が呼びかけた時点で走りだしていた。レヴィンがこの場でおかしくなるのだけは避けたくて、啓はかすれた声でラウルに命じた。レヴィンが《不死者》であることは、サブメンバーであるサムたちには明かしていない。サムにばれて問題視されるのは困る。周囲はパニックになっていて、警官たちがいっせいに集まってくる。この場でレヴィンが異常な行動に出たら隠しようがない。

「嫌だ、俺は…」

レヴィンもラウルもこの場から離れようとしないので、啓はもう一度命令を下した。

「ラウル、レヴィンを連れて少し離れろ！」

啓の命令にラウルが身体を震わせ、レヴィンの腕を掴んで立ち上がった。レヴィンは抵抗したいそぶりを見せたが、深呼吸を繰り返し啓から離れた場所に立った。ちょうど兵藤がアシュレイと建物から走ってくるのが見えた。

「啓殿！　しっかり、今診《み》ます！」

兵藤は険しい顔つきで啓の傍に膝をつくと、啓の制服を脱がし、傷を確認した。

「弾が入っておりますな。一度ふさいで応急処置をしますから、病院で弾の摘出手術を受けてください。弾を取り除く作業は私がやると雑菌が入り込む危険性がありますので。死ぬような怪我《けが》ではないので安心してください」

啓の右肩の怪我を診て、兵藤がさっそく治療を始める。兵藤が両手をかざして気を込めると、怪我した部位が熱くなり、皮膚がくっつき始めるのが分かる。

「啓…」

しゃがみ込んで啓を見ていた雄心は、ずっと泣きそうな顔だ。ふだんはロボットみたいに表情が変わらないくせに、今は真っ白な顔をして口が半開きだ。

「あー…いってぇ…」

兵藤の治療を受けている中、啓は一体誰がこんな真似をしたのだろうと頭を巡らせた。これからは《不死者》以外にも気をつけなければならないということなのか。あのきらりと光ったものは銃の反射かもしれない。

「制服…作り直してもらわなきゃ…。まぁ丈が短くなってたから、ちょうどいい…」

燃えるような痺れを伴っている右肩に呻《うめ》きつつ啓が告げると、アシュレイが「あなたという人は…」と強張っていた表情を崩した。

「それより…ルイスがどうしたって？」

撃たれた衝撃で忘れかけていたが、サムが血相を変えて追いかけてきたのはなにか起きたからに違いない。

啓の問いには兵藤が治療しながら答えてくれた。

「ルイスを収監していた留置所に《不死者》が忍び込み、ルイスをさらっていったそうです。死者は出ていません。鮮やかな手口でルイスだけ奪っていったとか」

ルイスが逃亡した――啓は一瞬痛みを忘れ、悔しくて歯ぎしりした。ルイスをさらったのはアダムの手先に違いない。監視は多めにつけてもらったが、やはり《不死者》相手では敵わないか。アダムたちはルイスをまだ手駒として使う気なのか。

「治療が終わりました。病院に搬送しましょう」

兵藤が汗びっしょりの額を拭《ぬぐ》い、ホッとした顔で告げる。啓は右肩に痛みを覚えつつ、ゆっくりと身を起こした。撃たれた場所の皮膚がくっつき、血が止まっている。相変わらず兵藤の能力はすごい。兵藤の治療のおかげか、動いても我慢できる痛みになっていた。

「啓、無茶は…」

「平気。雄心、肩貸して。車まで歩いていける」

止めようとするアシュレイを手で制し、啓は雄心の肩を借りて歩きだした。少し離れた場所から見守っていたレヴィンとラウルが安心した顔で近づいてくる。血を流しすぎたのか貧血がひどい。けれど歩けるし、兵藤の言うように死ぬような怪我ではなかった。弾を取り除けば、問題ない。

雄心にもたれるようにして歩き、啓は迎えに来た車の後部席に乗り込んだ。

「サム、我々は病院に向かいます。詳しい話はあとで」

アシュレイはサムと意見を交わすと、啓を追って助手席に乗り込んできた。シートにもたれると、警察署前はすごい騒ぎになっていた。警察署の前で発砲騒ぎが起きたのだから当たり前だろう。

「マジいてぇ…」

雄心とは反対側に乗り込んできたラウルの肩にぐったりと身体を預け、啓は呻いた。

「急いで病院に」

ラウルが痛ましげな目で啓を見つめ、言い放った。たいした怪我ではなくてよかった——啓も含め、周囲の人間も皆そう思って胸を撫で下ろしていた。一歩間違えれば銃弾を心臓に受けていたかもしれない。最悪の結果にならずにすんで、助かった。

この時までは、誰もがそう考えていた——。


医師の話を聞いていたアシュレイは、驚きに目を見開き、常にない大声を上げた。

「拒絶反応⁉」

アシュレイが叫んだように、医師を囲んでいたラウルやレヴィン、文也《ふみや》、兵藤、雄心、エミリーも同じ反応を示していた。

六代目総帥の座に就いた啓が警察署の前で撃たれたのは、ほんの数時間前の話だ。兵藤がすぐに治療に当たり、撃たれた弾は取り除けないが傷をふさぎ、女子修道院と併設している病院へ啓を搬送した。啓は手術室に入るまでに軽口を叩くくらい余裕があり、撃たれたとはいえ最悪の事態ではなかった。医師もそれほど難しい手術ではないと請け負い、扉の向こうへ消えていったのだ。

その手術室が慌ただしくなったのが三十分ほど前だ。不穏な気配を感じ、ラウルとレヴィンは苛立ちを隠せない様子だった。誰もが啓の身を案じ、手術が無事にすむのを今か今かと待っていた。

出てきた医師は、顔を曇らせていた。なにかあったと分かる顔つきだった。医師はシスターでもあるデリーだ。デリーは困惑した様子で啓の状態を説明し始めた。

「ケイに輸血を行ったところ、拒絶反応が見られて……」

啓に輸血を行いながら弾丸の摘出手術を行ったところ、拒絶反応を起こしたという。違う血液パックを使っても同様の症状を起こしたので、急遽《きゅうきょ》手術を取りやめ傷をふさぎ、拒絶反応を鎮静させる薬を投与したらしい。啓の血液は以前も調べた通りO型で、輸血した血液もO型。拒絶反応が起こるはずがなかった。

「とりあえず手術は中止しました。後日、本人の血をストックした段階でもう一度摘出手術を行いたいと思います」

デリーは不可解な顔でアシュレイたちに報告した。

「文也はご存じでしたか？　この事実を」

アシュレイが病院のソファに腰かける文也に尋ねると、こちらも困惑した顔で首を振る。

「まったく知らなかった、確かに啓は今まで輸血を必要とするような大きな怪我も病気もしたことがなかったが…。これはどういうことなのだろう？」

　啓の血には謎がある。

　アダムという《不死者》の血を引くためか、人間の血液では受けつけないのだろうか。これからは万が一のことを考えて啓の血をストックしておかねばならない。啓の血を悪用する輩《やから》がいた以上、血液をストックするのはリスクがあるので気は進まないが、背に腹は代えられない。ある意味、今回の事件は啓にとってラッキーだった。仮に瀕死《ひんし》の状態だったら、血が足りなくてそのまま命を落としていたかもしれない。

「ひやひやさせるなぁ…ホントに」

　壁によりかかっていたラウルは溜めていた息を吐き出し、ずるずると床にしゃがみ込む。その隣に立っていたレヴィンは、まだ苦しげな顔をして目を伏せていた。

X　嵐の前触れ

　ボロ雑巾みたいな人間が運ばれてきて、アダム・クロフォードは海に向けていた視線を室内に戻した。

　海辺のコテージの窓際に置かれた長椅子に寝そべり、風を感じて日がな一日過ごしていた。人間でいた頃に比べ感覚は鈍くなったが、多くの《薔薇騎士《ローズナイト》》の血を飲んだアダムは、人間のように太陽を浴びて風を感じることができる。とはいえやはり曇りの日のほうが好きだ。太陽が島を照らしても、可愛い娘のマリアは海に近寄ろうとさえしない。マリアは感情表現に乏しく、傍にいても時々つまらなくなる。わが娘とはいえ、人間であることを謳歌《おうか》しないさまはどうかと思う。

　それに比べて孫のケイは一緒にいたら楽しそうだ。

　喜怒哀楽が激しいところは退屈しないし、今度はなにをするのかとわくわくする。未熟なところはあるが、まっすぐ育った気性のよさは見ていて飽きない。

「やぁルイス。ひどい顔だね」

ギルバートの手で留置所から救出されたルイスは、顔を腫《は》らして失意のどん底だった。腕や足も骨折しているらしく、あちこちに包帯を巻いている。周囲の人に毒をまき散らしてきたルイスは、さまざまな報復に遭ったようだ。

「アダム…ッ、僕に力を貸してくれ！　あの憎きケイに復讐《ふくしゅう》する、父の部下に頼んで射殺しようとしたのに、それも失敗だ…っ‼　あいつは僕からすべてを奪った、畜生、もっと強い《不死者《アンデッド》》を貸してくれ！　あいつのせいですべて失った！　許さない…っ、許さない…っ」

ルイスは耳障《みみざわ》りな声でわめいている。最初に会った時から、プライドばかり高く、中身がなにもない小さな男だ。せめてその綺麗な顔で人に媚《こ》びればいいものを。

「…薔薇騎士団《ばらきしだん》を追い出されてしまったようだね」

アダムは嘆かわしげに呟いて、ケイに対して罵詈雑言をまくしたてるルイスを見やった。ルイスを操るのは簡単すぎて退屈だった。もう少し変わったことでもしてくれればちょっとは楽しめたのだが、やることがいちいち下卑ていて興ざめした。癇癪《かんしゃく》を起こしているルイスの後ろで、ギルバートはこっそりあくびをしている。ギルバートは最近マリアから血をもらい、眠ることを覚えた。すこぶる快適だと話している。ギルバートがどうやってマリアから血をもらったのか、早くケイに伝えたいものだ。マリアはわが娘だけあって、強《したた》かな女だ。自分の血と引き換えに、憎い男を滅ぼすことを望んだのだ。

「アダム…ッ、一刻も早く復讐を…っ」

ルイスはぎらぎらした目で自分に迫ってくる。

アダムは優雅なしぐさで長椅子から立ち上がり、薄く笑ってルイスに近づいた。

「それよりもルイス、君自身でケイに復讐を遂げるべきだ。君には力がある。分かるだろう？　君は誰よりも輝ける男だ」

ルイスの肩に手を置き、甘い言葉で誘惑した。ルイスは戸惑ってアダムを見返し、意味が分からないといいう顔つきで身を引く。

「しかし僕は…っ、僕は奴ほど体格もよくないし…」

「なにを言っているんだ。私がいれば、君はケイなんかよりずっと強くなれるんだよ。――――そうだ、ルイス。君は一度死んで、生まれ変わればいい。私がその手伝いをしようじゃないか」

アダムが耳打ちすると、ぎょっとした顔でルイスが離れようとした。ルイスの顔は真っ青になっている。これまで何人も《不死者》の餌《えさ》に差し出してきたくせに、己が餌になることは考えてもみなかったらしい。ご都合主義の人間だ。四家の一つでもあるベアズリー家は、いつの間にこんな腑抜《ふぬ》けが生まれるようになったのか。

「し…しかし…、で、でも…僕は…」

急におどおどしてルイスが逃げ腰になる。

「僕は…それは…」

ルイスは視線をぐるりと動かして、誰か助けてくれないかというように唇を尖《とが》らせた。自分を救出してくれたギルバートに目を向けると、大きな頷きが戻ってくる。

「ルイス、君こそ生まれ変わるべき人間だ。すべてから解放され、自分の手で奴らを苦しめればいい。君を馬鹿にした奴らを見返すんだ」

ギルバートは熱っぽく、まるで本気でそう思っているみたいに励ます。ギルバートは生前からお喋《しゃべ》りな男だったが、今や本気でそう思っているように話すのが得意になった。調子がいいといくらでもルイスを天狗《てんぐ》にさせることができる。

「考えてみろ、もう君はどこにも受け入れてもらえないんだ。君の父親は社会的地位を失った。自分自身の手でどうにかしなければ、君は一生負け犬だぞ。生まれ変われば、君はケイより強くなれる」

繰り返してアダムが囁《ささや》くと、ルイスの目に迷いが生まれた。ルイスの中にはケイに対する憎しみが増幅している。ルイスは自分が誰よりも優れていると思い込んでいるが、心の奥底には劣等感を抱えている。ケイという本物の輝きの前に、己がかすむことを本能で知っているのだ。だからこそケイに対する憎しみはひとしおで、そこを煽《あお》ればたいていのことは受け入れてしまう。

「アダム、僕を…生まれ変わらせてくれ！」

熱に突き動かされるようにルイスが叫んだ。

アダムはルイスの背後に回り、その白い首筋を撫でた。

「ルイス、君は真の英雄だ」

耳元で囁き、アダムはその首筋に牙を立てた。

――アダムが血を吸い続けるのを、ギルバートは壁にもたれたままじっと見ていた。ちょうどランスロットが部屋に戻ってきて、ルイスがアダムの手から離れて床に崩れるのに気づいた。

アダムはちぎれた肉片を床に吐き出し、血で濡れた口元をハンカチで拭《ぬぐ》った。

「ああ、まずい血だ。もうけっこう。残りはギルバート、君が頼むよ」

不快な顔で長椅子に戻るアダムを見やり、ギルバートが溜息をついた。

「ええ？　残りを僕が？　麗《うるわ》しい女性ならいくらでも従いますけど、ルイスはまずそうだし気が向かないなぁ。言ってくれれば、少しは腹を減らしておいたのに。あなたの命令なら聞きますけどね。ああルイス、君が血縁でなければ許し難い品位のなさだ」

ギルバートはぶつぶつ文句を言いながらも、残りの血を飲み始める。やがてルイスからすべての血が抜かれ、皮だけになったみじめな死体ができあがった。

ちらりともう息の根がないルイスを見下ろし、ランスロットが軽くアダムを睨《にら》む。

「あなたはケイの敵を増やそうとしているのですか？　孫が可愛いのかと思っていましたが」

　ランスロットはエリックの時代の《守護者《ガーディアン》》で、黒髪に泣きぼくろが印象的な静かな青年だ。いつでも傍に控えて、アダムの命令に忠実だ。

「ああ、子どもより孫が可愛いっていうのは本当だね。私はケイが欲しくてたまらない。敵を増やすなんてとんでもない。私はケイに試練を与えているんだよ。だって退屈なんだ、まだこいつにも使い道はあるだろう？」

　いたずらっぽい笑みを浮かべてアダムが言うと、やれやれといった顔でランスロットが肩をすくめる。

「彼一人で十分な気もしますが…」

　ランスロットが隣室に眠っている客人に目を向けて呟く。

「こういうのはいろいろと仕掛けると、面白い協奏曲を奏でるものだ」

　肘をついてアダムはランスロットに笑みを向ける。

　本当にケイは可愛い。《薔薇騎士》で《不死者》の血を引くなんて、これこそまさに理想の存在だ。どうにかして手に入れたいものだが、どんな手が有効だろうか？　彼の弱点が《守護者》であることは分かっている。

「早くこの手に堕ちてこないものか…」

　目を細めてケイの顔を思い浮かべ、アダムは呟いた。風が頬を嬲《なぶ》り、血で汚れた指先が目に入る。ケイの血は芳《かぐわ》しい香りと甘美な味がすることだろう。

　堪《こら》えきれない笑みがこぼれ、アダムは指に舌を這わせた。

POSTSCRIPT
HANA YAKOU

こんにちは夜光花です。

薔薇シリーズも四冊目となり、啓も青年に成長しました。もし間違えてこの本から手に取った方がいましたら、「薔薇の刻印」からお読みくださるようお願いします。

今回の本はメイン三人が揃うのがかなり後半です。シリーズでなければできない構成なので一度やってみたかったのですが、やっぱり三人が通常状態で揃わないと駄目だなと再確認。まぁとりあえず一段落です。メイン三人でアダムを倒す旅に出るのも面白そうだなと思いましたが、こういう流れになりました。

一巻目からみると啓はだいぶ成長しました。本当はもっと暗く落ち込ませたかったのですが、どうしても明るさが消えない不思議な前

夜光花 URL　http://homepage3.nifty.com/yakouka/
夜光花：夜光花公式サイト
薔薇シリーズオフィシャルサイト URL　http://www.bs-garden.com/feature/bara/

向きキャラです。レヴィンは相変わらずサンダーに嫌われていて可哀相だと思いつつ、この状態は最後まで続くかも。サンダーは賢い犬なので最初にされたことを覚えているため、レヴィンがごめんねと言わない限りこの不仲は永遠に…。仲直りシーンを入れるべきかな？　面白いのでこのままにしたいかも。

　メイン以外ではノーマルですが、アダムと房江って萌えるなぁと。エリックとマリアも萌えます。いろいろ想像できるのがこのシリーズの楽しいところです。

　イラストの奈良千春先生、今回もかっこいい絵をありがとうございます！　なんといっても今回はサンダーが表紙にいる！　レヴィンとラウルの双璧ぶりがめちゃ美麗で、できあがりが楽しみでなりません。口絵は妄想がふくらむ麗しい絵でした。この啓は逃げられない…。そして毎回楽しみにしているアダムがタイトルページを飾っていてドキドキわくわくです。本文の絵を見るのが楽しみです！

担当様、毎回的確なご指導ありがとうございます。最後までおつき合いお願いします。

読んでくださった皆様、薔薇シリーズも残り巻数が少なくなってまいりましたので次は一気に進めていきたいです。感想あったら教えてくださいね。ぜひまた読んでください。

ではでは。また次の本でお会いできますように。

夜光花

SHY NOVELS

薔薇の奪還

SHY NOVELS270

夜光花 著

HANA YAKOU

ファンレターの宛先

〒101-0065 東京都千代田区西神田3-3-9大洋ビル3F
(株)大洋図書 SHY NOVELS編集部
「夜光花先生」「奈良千春先生」係

皆様のお便りをお待ちしております。

初版第一刷2011年9月19日
第二刷2012年11月29日

発行者　山田章博
発行所　株式会社大洋図書
〒101-0065 東京都千代田区西神田3-3-9大洋ビル
電話03-3263-2424(代表)
〒101-0065 東京都千代田区西神田3-3-9大洋ビル3F
電話03-3556-1352(編集)
イラスト　奈良千春
デザイン　Plumage Design Office
カラー印刷　小宮山印刷株式会社
本文印刷　株式会社暁印刷
製本　株式会社暁印刷

ISBN978-4-8130-1238-2